C0-AMQ-244

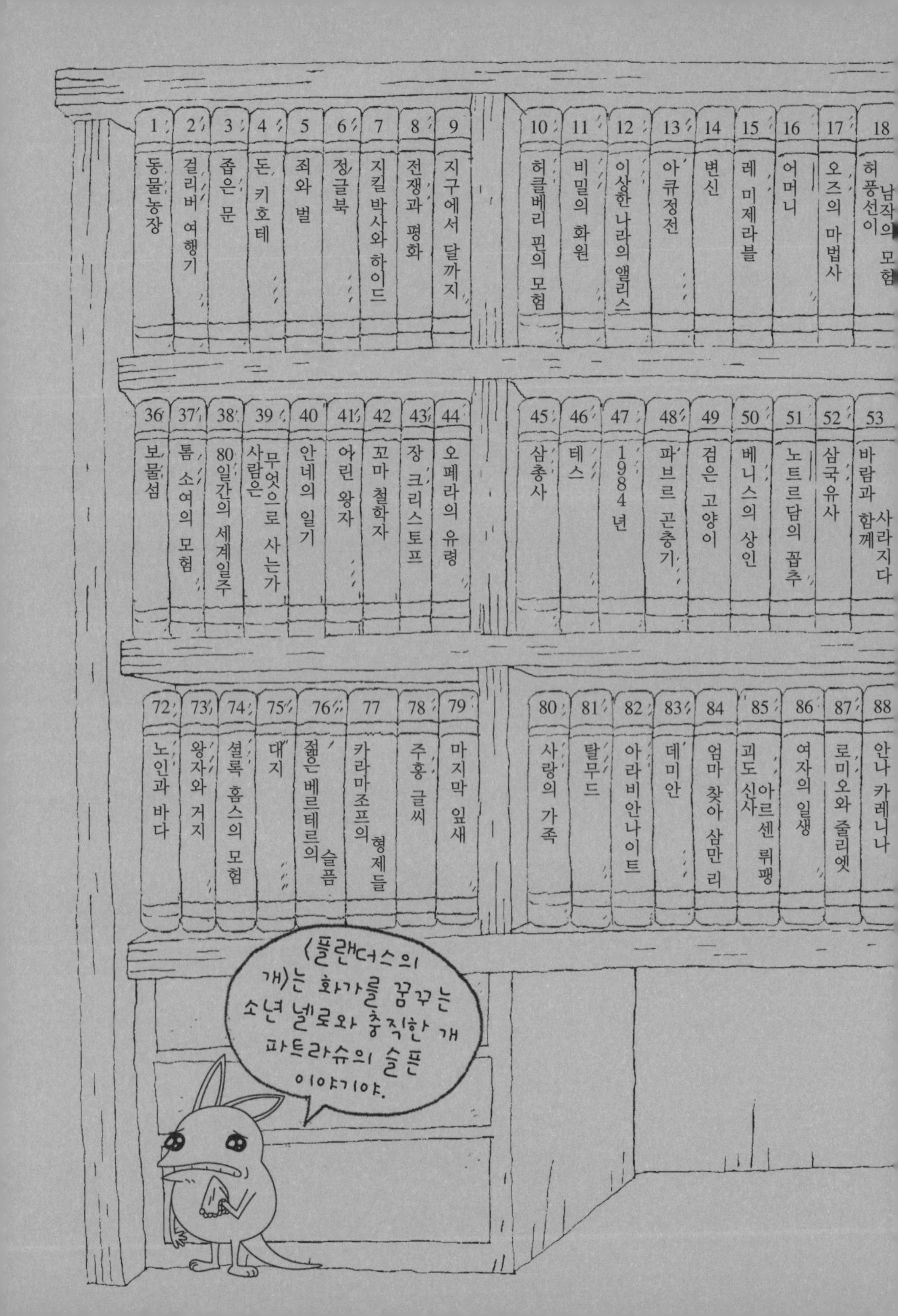
1 동물농장
2 걸리버 여행기
3 좁은 문
4 돈 키호테
5 죄와 벌
6 정글북
7 지킬 박사와 하이드
8 전쟁과 평화
9 지구에서 달까지
10 허클베리 핀의 모험
11 비밀의 화원
12 이상한 나라의 앨리스
13 아큐정전
14 변신
15 레 미제라블
16 어머니
17 오즈의 마법사
18 허풍선이 남작의 모험
36 보물섬
37 톰 소여의 모험
38 80일간의 세계일주
39 사람은 무엇으로 사는가
40 안네의 일기
41 어린 왕자
42 꼬마 철학자
43 장 크리스토프
44 오페라의 유령
45 삼총사
46 테스
47 1984년
48 파브르 곤충기
49 검은 고양이
50 베니스의 상인
51 노트르담의 꼽추
52 삼국유사
53 바람과 함께 사라지다
72 노인과 바다
73 왕자와 거지
74 셜록 홈스의 모험
75 대지
76 젊은 베르테르의 슬픔
77 카라마조프의 형제들
78 주홍 글씨
79 마지막 잎새
80 사랑의 가족
81 탈무드
82 아라비안나이트
83 데미안
84 엄마 찾아 삼만 리
85 괴도 신사 아르센 뤼팽
86 여자의 일생
87 로미오와 줄리엣
88 안나 카레니나
〈플랜더스의 개〉는 화가를 꿈꾸는 소년 넬로와 충직한 개 파트라슈의 슬픈 이야기야.

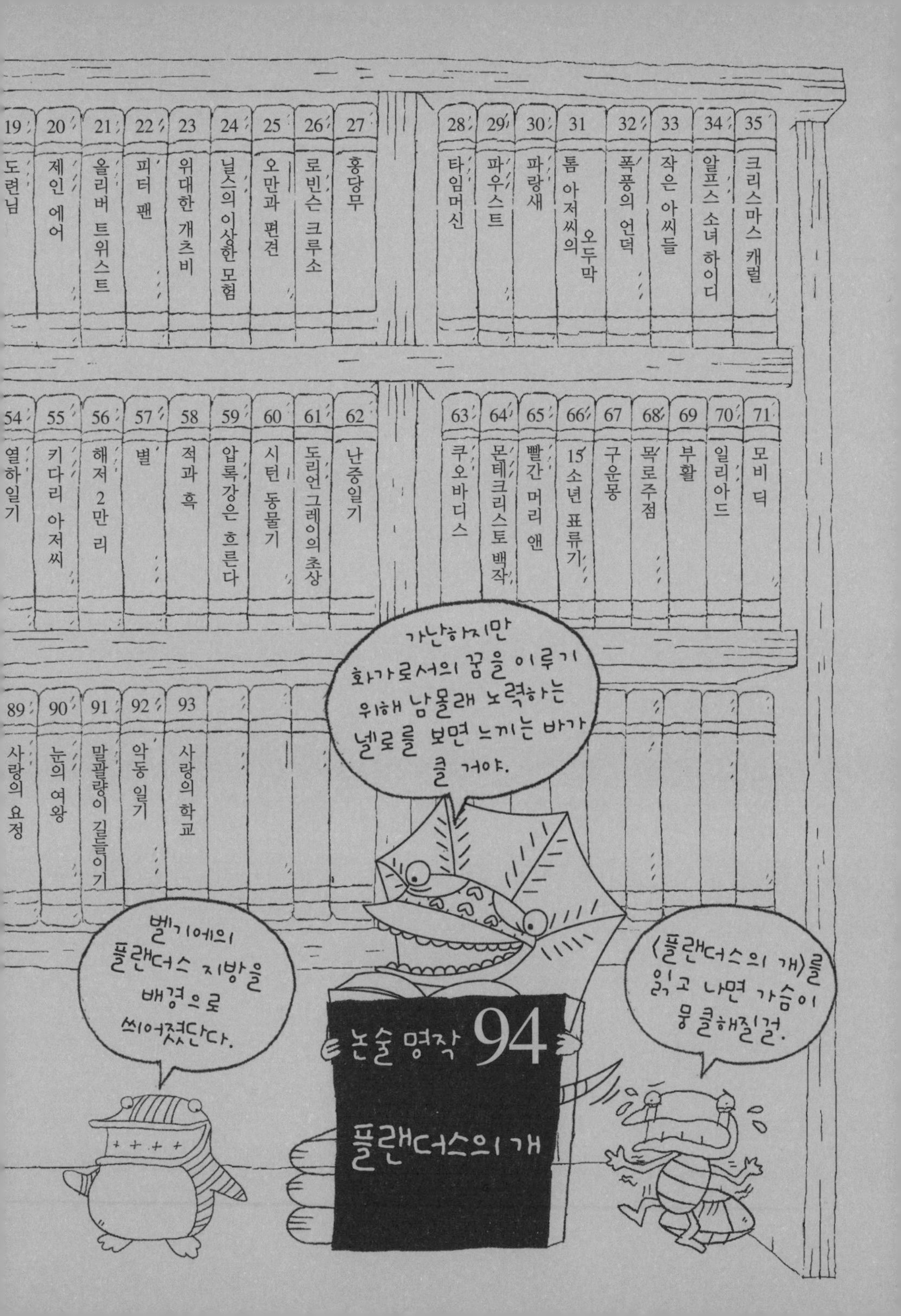

19 도련님
20 제인 에어
21 올리버 트위스트
22 피터 팬
23 위대한 개츠비
24 닐스의 이상한 모험
25 오만과 편견
26 로빈슨 크루소
27 홍당무
28 타임머신
29 파우스트
30 파랑새
31 톰 아저씨의 오두막
32 폭풍의 언덕
33 작은 아씨들
34 알프스 소녀 하이디
35 크리스마스 캐럴
54 열하일기
55 키다리 아저씨
56 해저 2만 리
57 별
58 적과 흑
59 압록강은 흐른다
60 시턴 동물기
61 도리언 그레이의 초상
62 난중일기
63 쿠오바디스
64 몬테크리스토 백작
65 빨간 머리 앤
66 15소년 표류기
67 구운몽
68 목로주점
69 부활
70 일리아드
71 모비 딕
89 사랑의 요정
90 눈의 여왕
91 말괄량이 길들이기
92 악동 일기
93 사랑의 학교
가난하지만 화가로서의 꿈을 이루기 위해 남몰래 노력하는 넬로를 보면 느끼는 바가 클 거야.
벨기에의 플랜더스 지방을 배경으로 씌어졌단다.
논술 명작 94
플랜더스의 개
〈플랜더스의 개〉를 읽고 나면 가슴이 뭉클해질걸.

아이세움 논술 | 명작 94

플랜더스의 개

감수 방민호

서울대 국문과, 같은 과 대학원을 졸업했습니다. 제1회 창비신인평론상과 제18회 김달진문학상을 수상했으며, 현재 서울대 국문과 교수로 재직 중입니다. 〈비평의 도그마를 넘어〉, 〈문명의 감각〉을 비롯한 많은 책을 쓰고 엮었습니다.

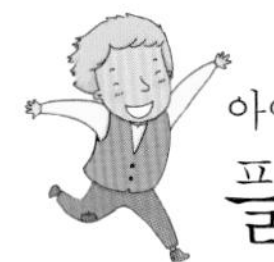

아이세움 논술 | 명작 94

플랜더스의 개

원작 위다 | **엮음** 이혜진 | **그림** 정경화 | **감수** 방민호

펴낸날 2011년 3월 15일 초판 1쇄, 2014년 1월 10일 초판 6쇄

펴낸이 김영진

본부장 조은희 | **사업실장** 김경수

편집장 박철주 | **편집 · 진행** 박은식, 백한별, 이미호, 안아름 | **디자인** 강륜아

펴낸곳 (주)미래엔 | **주소** 서울시 서초구 잠원동 41-10

전화 마케팅 02)3475-3843~4 편집 02)3475-3924 | **팩스** 02)541-8249

등록 1950년 11월 1일 제16-67호 | **홈페이지** www.i-seum.com

ISBN 978-89-378-4983-1 74840

ISBN 978-89-378-4116-3 (세트)

· 책값은 뒤표지에 있습니다.

· 파본은 구입처에서 교환해 드리며, 관련 법령에 따라 환불해 드립니다. 다만, 제품 훼손 시 환불이 불가능합니다.

Mirae N 아이세움은 (주)미래엔의 어린이책 브랜드입니다.

아이세움 논술 | 명작 94

플랜더스의 개

위다 원작

이혜진 엮음 | 정경화 그림

| 머리말 |

명작은 인간과 사회를 이해하는 첫걸음입니다

많은 사람들에게 재미와 감동을 주는 탁월한 작품을 명작이라고 합니다. 그중 시간과 공간을 초월하여 변함없이 사랑받아온 작품을 고전이라고 하지요.

우리는 어릴 때부터 고전과 명작 읽기의 중요성에 대해 배워 왔습니다. 고전 명작이 소중한 이유는 그 안에 인간과 사회에 대한 작가의 치열한 상념이 녹아 있기 때문입니다. 탄탄한 서사 구조 속에 재미와 감동은 물론, 시대를 대변하는 보편적인 가치가 반영되어 있기 때문입니다.

따라서 고전 명작을 읽을 때에는 작품 속 주제 의식이나 작가의 세계관을 올바로 이해하려는 노력이 필요합니다. 작가가 작품을 쓰던 당시의 사회적 배경이 어떠하였는지, 또 작품에서 가장 중요하게 다루고 있는 논쟁거리가 무엇인지에 대해 깊이 고민해야 합니다. 주제, 줄거리 등을 단편적으로 암기하는 것이 아니라 작가와 교감을 통해 인간과 사회에 대한 이해를 넓혀 가는 것입니다. 이런 노력이 뒷받침되어야 우리는 비로소 고전 명작을 읽었다라고 이야기할 수 있습니다.

〈아이세움 논술 | 명작〉은 고전 명작이 어른들의 전유물이라는 편견을 버리고, 재미있는 삽화와 쉬운 문장으로 구성하였습니다. 그리고 작품을 읽기 전에 작품을 둘러싼 시대적 배경을 알려 주고 읽은 후에는 작품에 대해서 토론하면서 생각할 수 있도록 구성되어 있습니다. 어린 독자들이 고전에 친숙해질 수 있는 기회를 주는 책이라고 생각합니다.

어린 시절에 읽는 양서 한 권이 어린이의 미래를 바꿉니다. 부디 〈아이세움 논술 | 명작〉으로 세계를 바라보는 안목을 높이고 자기만의 세계를 공고히 다져 나가기 바랍니다.

서울대학교 국어국문학과 교수

방민호

| 추천하는 글 |

명작 읽기의 소중함

열심히 책만 읽기에는 너무 고단한 우리 학생들에게 다시 '논술' 열풍이 불고 있다. 학생들이 스스로 즐겨 그렇게 된 것은 아니지만, 학생들을 위해 결코 나쁜 일이라고만 말할 수는 없을 것이다.

새삼스러운 얘기일 터이지만 좋은 글을 쓸 수 있는 가장 빠른 길은 "많이 읽고(다독多讀)·많이 쓰고(다작多作)·많이 생각(다상량多商量)"하는 삼다(三多)밖에 다른 것이 없다.

먼저 다독이 문제다. 많이 읽는다고 해서 아무 책이나 마구잡이로 읽는 것을 다독이라고 하지는 않는다. 많이 읽되, 좋은 책을 읽을 때 그것이 다독이다. 그렇다면 어떤 책이 좋은 책일까?

우선 고전이라 할 명작에는 사람이 세상을 살면서 알아야 할 온갖 삶의 지혜와 가치가 담겨 있다. 가령 〈지킬 박사와 하이드〉에서는 인간 내면에 혼재해 있는 선과 악의 대립을, 〈동물농장〉

에서는 삶을 한없이 타락시키는 전체주의와 아름다운 삶을 지향하는 인간의 무한한 이상의 끊임없는 갈등과 투쟁에 대한 반추를 해 볼 수 있다. 이런 고전을 재미있게 읽고 생각하는 기회를 갖는 것이 바로 좋은 글을 쓸 수 있는 바탕이다. 문제는 고전이 너무 어렵고 분량이 방대하다는 점이다.

이번에 출간된 〈아이세움 논술 | 명작〉은 원전의 내용을 재구성해 어린 학생들이 쉽게 고전과 친해지도록 만들었다. 지루함을 덜기 위해 캐릭터를 사용해서 그 캐릭터들과 끊임없이 교감하며 끝까지 책을 손에서 놓지 못하게 만든 것도 이 시리즈의 특색이요 장점일 터이다. 책 뒤에 논술을 학습할 수 있도록 논술 워크북과 가이드북을 제공하여 '학습과 논술'이라는 두 문제를 다 해결할 수 있도록 배려한 점도 주목할 만하다. 어린 학생들이 편안하고 소중한 독서 경험을 하리라 본다.

물론 이 명작선은 완역본이 아니므로 이것만 읽어서는 해당 작품을 제대로 읽었다고 말할 수 없을 것이다. 그러나 훗날 학생들이 성장하여 완역본으로 다시 읽고 올바르게 이해하는 데 큰 도움이 되도록 세심한 배려를 했다.

이 점도 이 시리즈가 귀하고 값진 이유이다.

시인

신경림

| 차 례 |

안녕, 난 번빠리.
<플랜더스의 개>를 한번
읽었다 하면 손에서 놓기
어려울 거야.

PART 1 명작 살펴보기

PART 2 명작 읽기

난 뒤뚱이.
어린이뿐만 아니라
어른들에게도 큰 감동을
주는 작품이지.

PART 3 깊어지는 논술

PART 4 논술 워크북

박테리아 고로케

튜브

팬티맨

PART 1

PART 1 PART 1
PART 1 PART 1 PART 1
PART 1 PART 1 PART 1 PART 1
PART 1 PART 1 PART 1 PART 1 PART 1
PART 1 PART 1 PART 1 PART 1 PART 1 PART 1
PART 1 PART 1 PART 1 PART 1 PART 1
PART 1 PART 1 PART 1 PART 1
PART 1 PART 1 PART 1
PART 1 PART 1

명작 살펴보기

넬로와 파트라슈를
같이 만나 볼래?

명작 살펴보기

만화로 미리 보기

넬로의 비밀

어느 날 파트라슈가 뒤뚱이 탐정을 찾아왔어요. 우유 배달을 마친 넬로가 갑자기 사라졌다지 뭐예요. 뒤뚱이 탐정의 조수 번빠리의 얼굴이 새하얗게 질렸어요. 뒤뚱이 탐정과 번빠리가 넬로를 찾을 수 있을까요?

그럼, 넬로를
마지막으로 본 게
어디지?
안트베르펜
성당으로 빨리
가 보자!
안트베르펜 성당
앞이에요. 안으로 들어갔는데
한참이 지나도 나오지
않았어요. 멍멍!
파트라슈,
너는 여기서 넬로를
기다리고 있어.
알았지?
알았어요.
멍멍!
우린 안에
들어가서 넬로를
찾아볼게.
넬로, 여기서
뭐하는 거야?
파트라슈가
널 얼마나 찾아
헤맸는데.
루벤스의
그림을 보고
있었어.
넬로는 루벤스
같은 위대한 화가가
되는 게 꿈이래.

넬로의 꿈은 화가였어요. 그래서 시간이 날 때마다 안트베르펜 성모 마리아 대성당에 걸려 있는 루벤스의 그림을 보며 화가로서의 꿈을 키워 나갔지요. 넬로는 훌륭한 화가가 되었을까요? 궁금하다면 **이야기 속으로 들어가 볼까요?**

어떤 이야기인가요?

아름답고도 슬픈 우정을 그린 이야기

지금부터 읽어 볼 〈플랜더스의 개〉는 어린 소년 넬로와 늙은 개 파트라슈의 이야기예요. 넬로는 벨기에 플랜더스 지방의 조그마한 마을에서 할아버지와 단둘이 살고 있는 소년이었고, 파트라슈는 포악한 술주정뱅이 주인에게 혹사당하다 버려진 가엾은 개였지요. 죽어 가던 파트라슈는 넬로의 보살핌을 받습니다.

〈플랜더스의 개〉는 이 둘의 아름답고도 슬픈 이야기를 그림같이 아름다운 플랜더스의 풍경과 함께 담아냈지요. 이 작품의 부제는 '크리스마스 이야기'예요. 모든 사람이 즐겁고 행복한 크리스마스 아침에 안타까운 최후를 맞는 넬로와 파트라슈의 이야기는 사람들의 욕심과 편견에 대한 깨달음을 준답니다.

거장 루벤스를 만나다

가난한 소년 넬로는 우유 배달을 마치면 안트베르펜에 있는 성모 마리아 대성당을 찾아갑니다. 성당 밖에 홀로 남겨진 파트라슈는 넬로가 무엇 때문에 매일같이 이곳을 찾는지 궁금할 뿐이지요.

위다는 1871년 벨기에의 항구 도시 안트베르펜에 오랫동안 머물면서 〈플랜더스의 개〉를 집필합니다. 실제로 안트베르펜의 성모 마리아 대성당 안에는 〈십자가에서 내려지는 예수〉라는 루벤스의 그림이 걸려 있는데, 이것이 바로 넬로가 "이 그림을 볼 수만 있다면 죽어도 좋아."라고 말했던 바로 그 그림이지요.

루벤스는 지금의 벨기에인 플랑드르의 화가야. 렘브란트와 함께 바로크 미술을 대표하는 화가란다.

〈플랜더스의 개〉는 바로크 미술의 거장 루벤스에 대한 작가의 애정과 존경이 곳곳에 묻어나는 작품이에요.

여러분도 이 책을 읽는 동안 바로크 미술과 루벤스의 작품 세계를 경험해 보면 좋을 거예요.

한눈에 살펴보기
난 장돌뱅이. 말 안 듣는 개는 몽둥이찜질이 최고야!
난 예한 다스 할아버지. 넬로가 파트라슈와 언제까지나 행복했으면 좋겠구나.

난 네로.
루벤스처럼 훌륭한
화가가 될 거야!
난 알루아.
네로와 파트라슈는
나의 소중한
친구들이야.
난 파트라슈.
네로와 함께라면
어떤 어려움도
이겨 낼 수 있어.

이렇게 읽어 보세요!

다른 사람의 아픔을 함께 나눠 보세요

파트라슈는 난폭하고 인정머리 없는 주인에게 혹사당하다 풀숲에 버려집니다. 길을 지나던 예한 다스 할아버지와 어린 넬로가 죽어 가는 파트라슈를 발견하지요. 두 사람은 끼니를 거르는 날이 그렇지 않은 날보다 더 많을 정도로 가난했지만, 파트라슈를 자신들의 초라한 오두막으로 데려와 정성을 다해 보살펴요. 덕분에 할아버지와 넬로는 좋은 친구를 얻을 수 있었지요.

여러분은 어떤가요? 쑥스러워서, 아니면 조금 귀찮아서 다른 사람의 아픔을 모르는 척 지나치고 있지는 않나요? 다른 사람의 아픔을 함께 나눈다는 것이 어떤 의미인지 생각하며 이 책을 읽어 보세요.

▲ 넬로와 파트라슈가 함께 우유 배달을 하는 장면을 그린 삽화예요.
◀ 예한 다스 할아버지가 풀숲에 버려진 채 죽어 가는 파트라슈를 구하는 장면을 그린 삽화예요.

난 알루아의 아버지. 알루아가 가난뱅이 넬로와 어울리게 둘 수는 없는 일이지.
난 알루아의 어머니. 넬로는 성실하고 마음씨 착한 아이예요.
이제 접어!

Start 발단

우유 배달을 하는 예한 다스 할아버지와 어린 소년 넬로는 난폭한 주인에게 혹사당하다 풀숲에 버려진 개 파트라슈를 발견한다. 할아버지와 넬로가 집으로 데려와 정성을 다해 치료하자 파트라슈는 차차 회복된다.

expansion 전개

기력을 회복한 파트라슈는 우유 배달 일을 도우며 행복한 새 삶을 시작하고, 넬로는 남몰래 화가의 꿈을 키운다. 가난한 넬로를 못마땅하게 여긴 알루아의 아버지는 넬로와 알루아의 사이를 떼어 놓는다.

climax 절정

온 힘을 쏟아 그림을 완성한 넬로는 그림을 미술 대회에 출품한다. 그러던 중 풍차 방앗간에 큰불이 나고, 넬로가 범인으로 몰린다. 어느 추운 겨울날 할아버지마저 돌아가시고 넬로와 파트라슈는 오두막에서도 쫓겨난다.

ending 결말

유일한 희망이었던 미술 대회 입상도 물거품이 되어 절망에 빠진 넬로. 심한 눈보라가 치는 크리스마스이브 저녁에 넬로는 파트라슈를 알로아네 집에 맡기고 떠나지만 파트라슈는 넬로의 뒤를 따르고, 루벤스의 그림 앞에서 둘은 추위에 떨다 숨을 거두고 만다.

작가 위다는
〈플랜더스의 개〉에
가난한 사람과 개에 대한
애정을 담았단다.

여러분의 꿈은 무엇인가요?

넬로는 가난하고 외로운 소년이었어요. 할아버지가 돌아가시고 친구라고는 말 못하는 늙은 개 파트라슈뿐이었고, 그나마 마음이 통하던 친구 알루아는 알루아 아버지의 반대로 만날 수가 없었어요. 다른 사람들 눈에 넬로는 그저 우유 배달 일을 하는 보잘것없는 가난뱅이일 뿐이었지요. 하지만 넬로는 다른 사람을 탓하거나 좌절하지 않았어요. 그건 바로 넬로의 마음속에 원대한 꿈이 있었기 때문이에요. 루벤스처럼 훌륭한 화가가 되는 꿈 말이에요. 그래서 넬로의 마음은 그 누구보다 풍요로웠어요.

꿈은 때로 지치고 힘든 우리의 마음을 위로해 주기도 하고, 새로운 희망을 품을 수 있도록 해 준답니다. 여러분도 마음속에 여러분만의 소중한 꿈을 품어 보세요. 그러면 여러분의 하루하루가 훨씬 행복해질 거예요.

◀ 벨기에 안트베르펜의 성모 마리아 대성당 앞의 플리츠 광장에 세워진 페테르 루벤스의 동상이에요.

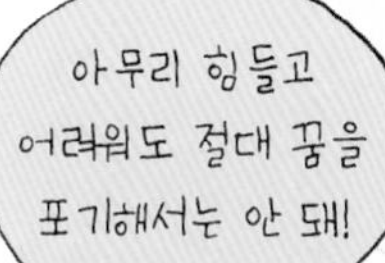

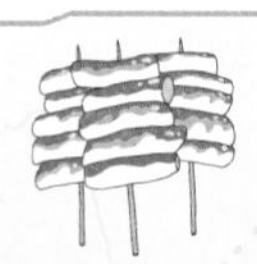

잠시 휴식! 떡꼬치를 먹고 〈플랜더스의 개〉를 읽어 보세요!

PART 2

명작 읽기

넬로와 파트라슈의
아름다운 우정이 큰 감동을 줄 거야.

명작 읽기

1장
넬로와 파트라슈

넬로와 파트라슈는 외톨이였다.

넬로는 아주 어릴 때 부모님을 여의었고, 파트라슈도 어미의 얼굴을 알지 못했다. 세월이 흐를수록 넬로는 한 살씩 나이를 먹고, 파트라슈는 늙어 갔지만 둘의 우정은 더욱 단단해졌다. 둘은 서로를 아낌없이 사랑했다.

사람들은 둘의 모습을 볼 때마다 이렇게 말했다.

"늘 함께 붙어 다니는 게 꼭 피를 나눈 형제 같지?"

"누가 아니래. 저렇게 사이가 좋다니 참 신기한 일이야."

넬로와 파트라슈가 사는 곳은 안트베르펜에서 조금 떨어진 플랜더스 근처의 작은 마을이었다. 드넓은 초원과

밀밭으로 둘러싸인 마을을 가로질러 강이 흘렀다. 강을 따라 늘어선 미루나무와 오리나무가 불어오는 강바람에 나뭇잎을 팔랑거릴 때면 그림처럼 아름다운 풍경이 펼쳐졌다.

> 안트베르펜은 플랜더스 지방에 위치한 벨기에의 도시로 위대한 화가 루벤스의 예술혼이 어린 곳이야.

마을에는 스무 채 가량의 집이 옹기종기 모여 있었다. 눈처럼 새하얀 벽에 초록색이나 푸른색 덧문이 달린 집은 장밋빛 지붕과 어우러져 평화平和로운 풍경을 자아냈다. 마을 한가운데 자리한 나지막한 언덕 위에는 푸른 이끼가 살짝 낀 풍차가 서 있었다.

"처음에는 예쁜 주홍색이더니, 지금은 정말 볼품이 없어졌어."

"벌써 50년도 더 된 옛날 일 아닌가? 풍차도 비바람과 따가운 햇살에는 당해 낼 수가 없는 게지."

평화(平和) : 평온하고 화목함.

마을 사람들은 우중충한 색으로 변해 버린 풍차를 볼 때마다 추억에 잠기듯 이야기했다. 풍차의 날개는 이따금 나이 든 노인의 관절처럼 삐걱거렸지만 마을 사람들은 곡식을 빻을 때면 항상 이곳을 찾았다.

마을 사람 어느 누구도 이 풍차 방앗간을 지나쳐 다른 곳으로 가지 않았다. 그것은 풍차 방앗간 건너편에 있는 작은 회색 성당 대신 다른 곳에서 기도를 드릴 수 없는 것만큼이나 당연한 일이었다.

작은 회색 성당의 종탑에서 아침, 점심, 저녁으로 한 번씩 울려 퍼지는 종소리는 어딘지 처량하게 들렸다. 마을 사람들에게 그 종소리는 세상에서 가장 구슬픈 소리로 들렸다.

넬로와 파트라슈는 이 마을 변두리에 있는 조그마한 오두막에서 늙고 가난한 예한 다스 할아버지와 함께 살았다. 오두막은 초라하기 짝이 없었지만 마치 파도에 씻긴 조가비처럼 깨끗하고 깔끔했다. 오두막 옆에는 콩과 호박 등을 심은 작은 텃밭이 딸려 있었다.

파트라슈, 우리
할아버지 마중 갈까?
멍
멍

오두막 앞에는 푸른 들판이 잔잔한 바다처럼 펼쳐져 있었다. 들판 너머로는 안트베르펜 성모 마리아 대성당의 첨탑이 우뚝 솟아 있는 게 보였다.

예한 다스 할아버지는 가끔 군인이었던 젊은 시절을 떠올리며 이렇게 말했다.

노트르담 대성당으로
불리기도 하는 안트베르펜의
성모 마리아 대성당은 123미터의
높이에 최고의 첨탑을 가진
성당이기도 해.

"전쟁이 모든 것을 파괴했단다. 마치 성난 황소가 밭고랑을 짓이기듯이 땅을 참혹하게 뭉개 버렸지."

전쟁터에서 돌아온 할아버지에게 남은 것은 다리의 상처뿐이었다.

예한 다스 할아버지가 여든 살이 되었을 무렵 아르덴 지방에 살던 외동딸이 두 살 난 아들을 남겨 두고 세상을 떠나고 말았다. 예한 다스 할아버지가 어린 손자를 맡아야 했다.

한 몸 먹고살기도 벅찰 정도로 가난한 살림이었지만 할아버지는 갓난아이를 정성껏 돌봤다. 아이의 이름은 니콜라스였지만 할아버지는 넬로라고 불렀다. 넬로는 할아버지에게 소중한 기쁨이었다. 할아버지는 손자를 무척이나 아꼈고, 넬로 역시 할아버지를 깊이 사랑했다.

할아버지와 넬로는 너무나도 가난했다. 끼니를 거르는 날이 그렇지 않은 날보다 훨씬 더 많았다. 가진 것 하나 없이 가난했지만 할아버지와 넬로는 마음씨가 곱고 순수했다.

두 사람은 딱딱하게 굳은 빵 한 조각, 양배추 몇 잎에도 감사했으며 그 이상의 것을 바라지 않았다. 유일한 소망所望이 있다면 단지 파트라슈가 오래도록 곁에 있어 주었으면 하는 것뿐이었다.

할아버지와 넬로에게는 파트라슈가 전부였다. 할아버지는 거의 매일 파트라슈의 머리를 쓰다듬으며 말했다.

"파트라슈, 너는 내 손자나 마찬가지다. 네가 없었다면 나와 넬로는 살 수 없었을 거야."

파트라슈는 보물 창고이며, 양식을 만들어 주는 요술

소망(所望) : 어떤 일을 바람. 또는 그 바라는 것.

지팡이였다. 끼니를 벌어다 주는 가장이자 일꾼이었으며, 위로가 되어 주는 유일한 친구였다. 또한 그들의 생명이었고 영혼이었다.

만약 파트라슈가 죽거나 사라진다면 할아버지와 넬로는 견디기 힘들 것이다. 할아버지는 다리가 성치 않은 노인이었고, 넬로는 아직 어린아이였으니까.

파트라슈는 플랜더스 지방의 여느 개처럼 큼직한 머리와 네 발을 갖고 있었다. 근육이 발달해 다리가 튼튼하고 발바닥이 넓적했다. 조상 대대로 힘든 일을 해 온 탓이었다. 파트라슈의 조상들은 수백 년 동안 지독한 노동에 시달려 왔다. 짐수레를 끄느라 살가죽이 벗겨져 피가 줄줄 흘러도 고통을 묵묵히 참아 내야 했다. 그러다 거리의 차디찬 돌바닥에서 죽음을 맞는 것이 바로 플랜더스 개들의 최후였다. 파트라슈의 몸속에도 그 피가 흘렀다.

파트라슈의 어미 역시 무거운 짐수레를 끌고 울퉁불퉁 돌이 깔린 도시의 골목길을 돌아다니며 평생 고된 일을 하다 죽었다.

파트라슈도 태어날 때부터 힘에 부치는 일을 해야 하는 고통을 물려받았다. 파트라슈는 강아지 티를 채 벗기도 전부터 무거운 짐수레를 끄는 쓰라린 고통을 겪어야 했다. 태어난 지 1년이 조금 지났을 무렵 철물상을 주인으로 모시게 된 것이었다. 이 철물상은 바닷가에서 산골짜기까지 물건을 팔러 돌아다녔다. 무거운 짐수레를 끌고 먼 길을 다니기에 파트라슈는 너무 어렸다.

파트라슈는
어릴 때부터 무거운
짐수레를 끌어야 했대!
아유, 가여워라!

"쳇, 너무 어려서 쓸모가 없군."

철물상은 파트라슈를 헐값에 팔아 버렸다.

새 주인은 장이 서는 곳마다 돌아다니며 물건을 파는 장돌뱅이였다. 이 남자는 성격이 난폭亂暴하고 인정머리 없는 사람이었다.

난폭(亂暴) : 행동이 몹시 거칠고 사나움.

장돌뱅이는 짐수레에 항아리, 무쇠솥, 프라이팬, 병, 양동이, 사기그릇 외에도 놋쇠로 만든 여러 가지 물건들을 가득 실었다. 그러고는 파트라슈 혼자 그 무거운 짐을 다 끌게 했다. 자기는 옆에서 파이프 담배를 빼끔거리며 어기적어기적 걸을 뿐이었다. 그러다가도 술집이 눈에 띄면 꼬박꼬박 들렀다. 파트라슈에게는 먹을 것도 제대로 챙겨 주지 않았다.

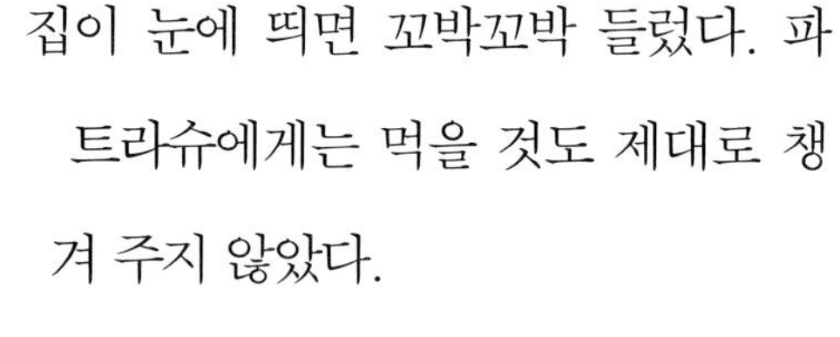

이 장돌뱅이는
개와 인간의 관계가
강자와 약자의 사이가 아니라
사랑을 나누는 사이라는 걸
모르는가 보군.

파트라슈의 하루하루는 지옥 같았다. 다행인지 불행인지 파트라슈는 힘이 아주 셌다. 힘들고 혹독한 노동을 견뎌 낼 수 있는 무쇠 같은 핏줄을 타고난 것이었다.

무거운 짐을 실은 수레를 끌면서 수없이 채찍질을 당해도 파트라슈는 묵묵히 제게 주어진 일을 해냈다. 굶주림과 피로 때문에 매우 지쳐 있었지만 그럭저럭 죽지 않고 목숨을 이어 갔다.

그러나 이 인내심 강하고 일 잘하는 짐승이 받는 품삯은 끔찍한 고통뿐이었다. 지긋지긋하고 죽을 것만 같은 고통의 세월이 2년이나 더 흐른 어느 날이었다.

파트라슈는 루뱅으로 이어지는 길을 따라 걷고 있었다. 그 길은 정취情趣라고는 찾아볼 수 없이 먼지만 풀풀 날렸다. 한여름이라 숨이 턱턱 막히도록 더웠다. 하루 종일 아무것도 먹지 못한 파트라슈는 먼지를 뽀얗게 뒤집어쓴 채 무거운 수레를 끌어야 했다. 한낮의 뜨거운 땡볕에 길은 발바닥을 태울 듯 뜨거웠다.

주인은 파트라슈의 고통 따위는 관심이 없다는 듯 건들거리며 걷고 있었다. 그나마 날씨가 더운 게 다행이었다. 그렇지 않았더라면 마구잡이로 채찍을 휘둘러 대며 괜히 심술을 부렸을 것이다.

"끔찍하게 덥군! 이 게으름뱅이 짐승아, 넌 여기서 꼼짝 말고 있어!"

정취(情趣) : 깊은 정서를 자아내는 흥취.

장돌뱅이는 중간 중간 술집이 나타날 때마다 빼놓지 않고 들러 술을 마셨다. 파트라슈에게는 물 한 모금 주지 않았다. 파트라슈는 아침부터 지금까지 목 한 번 축이지 못했다. 술을 마시고 나온 장돌뱅이는 채찍을 휘두르며 길을 재촉했다.

"어서 일어나! 꾸물대지 말고!"

갈증과 더위에 지친 파트라슈는 비틀거리며 일어나려고 안간힘을 썼다. 그러다 태어나 처음으로 입에 거품을 물고 쓰러지고 말았다. 따가운 햇볕이 쏟아지는 길 한가운데 흙먼지를 뒤집어쓰고 쓰러진 파트라슈는 너무 고통스러워 숨을 헐떡였다.

"뭐야? 이게 왜 이래?"

파트라슈를 내려다보던 장돌뱅이는 가지고 있던 유일한 약을 줬다. 그 약이란 바로 발로 차고, 욕설을 퍼붓고, 단단한 참나무 몽둥이로 매질을 하는 것이었다. 이 약은 음식과 물 대신에 파트라슈에게 주어지는 유일한 급료이자 보상이었다.

몽둥이찜질 맛을 봐야 일어날 거야?
덜컹
휙
덜컹
낑…낑…

그러나 이날 파트라슈에게는 그 어떤 매질도, 그 어떤 욕설도 소용이 없었다. 파트라슈는 그저 희뿌연 흙먼지를 뒤집어쓰고 죽은 듯이 누워 있을 수밖에 없었다. 한참 뒤에야 주인은 파트라슈를 발로 차고, 채찍을 휘둘러도 소용이 없다는 것을 깨달았다.

"쳇, 죽어 버렸잖아! 아무짝에도 쓸모없는 짐승 같으니라고!"

장돌뱅이는 이미 개의 목숨이 끊어졌거나 아니면 거의 끊어져 쓸모가 없을 것이라고 생각했다. 누군가 장갑이라도 만들기 위해 살가죽을 벗겨 내지 않는 한 말이다. 장돌뱅이는 파트라슈에게 마구 욕을 퍼부었다.

그러고는 수레에 연결된 가죽 끈을 잡아 빼더니 파트라슈의 몸뚱이를 풀숲으로 내던져 버렸다. 그래도 화가 덜 풀렸는지 사나운 욕지거리를 내뱉으며 짐수레를 끌고 사라졌다. 죽어 가는 파트라슈를 개미와 까마귀들이 뜯어 먹도록 내버려 둔 채…….

그날은 루뱅에서 장이 서는 날이었다. 파트라슈를 풀숲

에 내팽개친 장돌뱅이는 분한 마음에 여전히 씩씩거리며 수레를 끌었다.

"오늘 같은 날 빨리 가서 좋은 자리를 차지해야 한몫 단단히 챙길 텐데, 그 빌어먹을 짐승 때문에 아까운 시간만 허비했잖아!"

장돌뱅이는 힘이 세고 참을성 많은 파트라슈를 잃은 게 못내 아쉬웠다. 그렇다고 다시 돌아가 파트라슈를 돌봐 줄 마음은 눈곱만큼도 없었다. 루뱅까지 자신이 힘들게 수레를 끌어야 한다는 게 분통이 터질 뿐이었다.

"그 멍청한 짐승은 분명히 죽었을 거야. 루뱅에 도착하면 어슬렁대는 덩치 좋은 개라도 훔쳐서 부려야겠어. 재수도 더럽게 없지. 이게 무슨 생고생이람."

자기를 도와 일을
하던 개가 죽었을지도
모르는데 가엾게 여길 줄
모르다니, 정말 인정이라고는
없는 사람이야.

장돌뱅이는 2년이라는 긴 세월 동안, 동이 틀 무렵부터 날이 저물 때까지 숨 돌릴 틈조차 주지 않고 파트라슈를 부려 먹었다.

파트라슈는 제법 쓸모가 있었다. 덕분에 많은 돈도 벌었다. 파트라슈를 부려 번 돈으로 자기는 흥청망청 먹고 마시며 놀았으면서도 파트라슈가 쓰러지자 풀숲에 아무렇게나 내팽개쳐 버렸다. 가여운 파트라슈는 홀로 마지막 숨을 몰아쉬다 까마귀들의 밥이 될지도 모르는데 말이다.

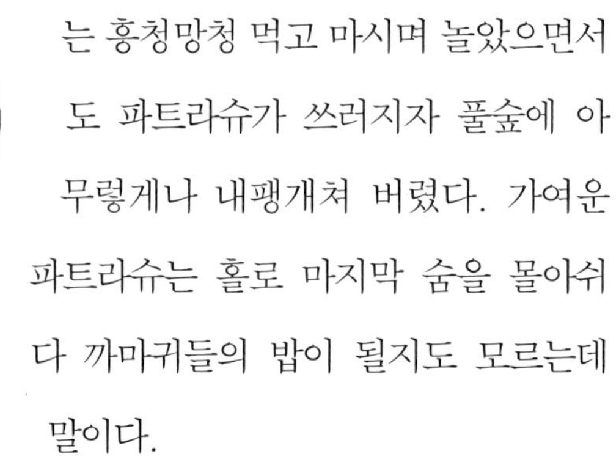

다 죽어 가는 개 한 마리에게 정성을 쏟을 마음이 이 남자에게는 눈곱만큼도 없었다. 쓸모없고 멍청한 짐승에게는 동전 한 닢도 아깝다고 생각하는 사람이었던 것이다.

2장
은혜를 아는 파트라슈

풀숲에 내동댕이쳐진 파트라슈는 숨을 헐떡이며 죽어 가고 있었다. 장날이라 루뱅으로 가는 길에는 오가는 사람들이 꽤 많았다. 노새를 끌고 지나가거나 마차를 타고 가는 사람도 있었다. 모두들 경쾌한 발걸음으로 서둘러 루뱅으로 향했다.

그중에는 파트라슈를 본 사람도 더러 있었지만 대부분 그냥 지나쳐 갈 따름이었다. 기껏해야 죽은 개 한 마리였다. 그 정도의 일은 정말 하찮은 것이었다. 어쩌면 세상 어느 곳에서도 개 한 마리의 죽음은 하찮은 것인지도 몰랐다.

'아, 물 한 모금만 마셨으면…….'

파트라슈는 가쁜 숨을 헐떡이며 지나가는 사람들을 안타까운 눈빛으로 바라보았다.

그렇게 한참이 흐른 뒤였다. 많은 사람들 사이로 허름한 차림새의 노인이 눈에 띄었다. 노인은 등이 많이 굽어 있었고, 다리도 절름거렸다. 노인의 옷차림은 보는 사람의 가슴을 저밀 정도로 가련하고 남루襤褸했다. 노인의 옆에는 발그레한 볼에 초롱초롱 빛나는 눈망울의 금발 머리 남자아이가 따라 걷고 있었다. 예한 다스 할아버지와 넬로였다.

할아버지는 파트라슈를 발견하고 멈춰 섰다.

"저런……!"

할아버지는 다리를 절룩이며 개에게 다가가 무릎을 꿇고 앉았다. 그러고는 동정심이 가득 담긴 다정한 눈길로 개를 찬찬히 살폈다. 넬로도 할아버지를 따라 타박타박

남루(襤褸) : 낡아 해진 옷.

웬 개가 여기 쓰러져 있을까?
죽은 거 아녜요? 너무 가여워요.

풀숲으로 걸어 들어왔다.

넬로는 죽은 듯 쓰러져 있는 덩치 크고 가여운 짐승을 해맑은 눈빛으로 내려다보았다.

넬로와 파트라슈의 첫 만남이었다.

예한 다스 할아버지는 죽어 가는 불쌍한 개를 그냥 지나치지 않았다.

"아직 숨이 붙어 있구나. 잘 보살피면 나을 거야."

개가 쓰러져 있는 곳은 마침 오두막에서 멀지 않은 곳이었다. 할아버지는 온 힘을 다해서 개를 데리고 오두막으로 돌아왔다. 그러고는 정신을 잃은 개를 정성껏 돌보았다. 서늘한 그늘 밑에서 충분히 쉰 덕분인지 개는 차츰 정신을 차렸다. 그러고는 비틀거리며 힘겹게 일어났다.

"할아버지, 개가 정신을 차렸어요!"

근심 어린 눈으로 지켜보던 넬로가 소리치자 할아버지가 다가왔다.

"얘는 이름이 뭘까요?"

넬로가 물었다.

잠시 생각에 잠겼던 할아버지가 입을 열었다.

"원래 이름은 모르겠다만, 파트라슈라고 하자."

"파트라슈!"

파트라슈는 여러 날 동안 몹시 앓았다. 예한 다스 할아버지와 넬로는 아기를 돌보듯이 파트라슈를 보살폈다. 보살핌을 받으며 쉬는 동안 파트라슈는 단 한 번도 욕설을 듣지 않았고 매를 맞지도 않았다. 오히려 따뜻하게 말을 걸어 주는 어린아이의 목소리와 할아버지의 다정한 손길만이 있을 뿐이었다.

할아버지는 오두막 한쪽 구석에 향긋한 마른 풀을 쌓아 파트라슈의 잠자리를 마련해 주었다. 파트라슈가 앓는 동안 할아버지와 넬로는 파트라슈의 숨소리에 귀를 기울이며 파트라슈가 살아 있음에 감사했다.

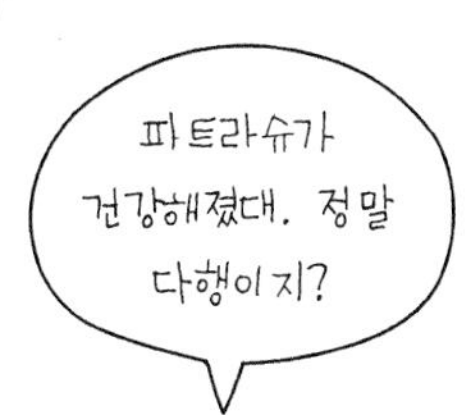

마침내 파트라슈는 짖을 수 있을 정도로 건강해졌다. 비록 우렁찬 소리는 아니었지만 파트라슈가 처음 짖었을 때 할아버지와

넬로는 환하게 웃으며 기뻐했다.

"할아버지, 파트라슈가 짖었어요! 파트라슈가 짖었다고요!"

"그래그래, 그렇구나. 허허허."

"다행이야, 파트라슈. 정말 다행이야."

넬로는 기쁨에 들떠 파트라슈의 상처투성이 목을 끌어안고 보드라운 털에 입을 맞추었다. 파트라슈의 목은 수레를 멘 가죽 끈에 쓸려 털이며 살갗이 다 벗겨져 볼품없었지만 넬로는 파트라슈가 그저 사랑스러웠다.

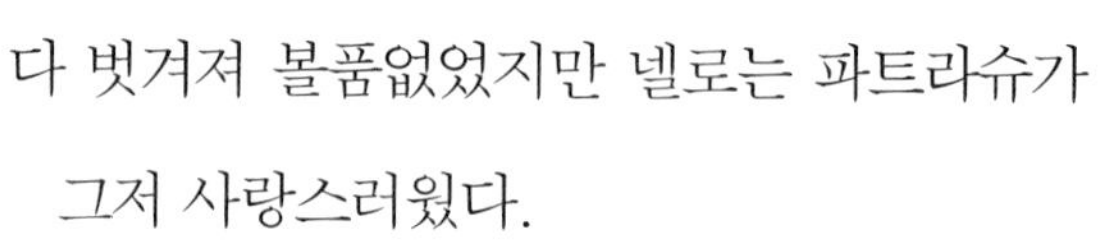

파트라슈가
예한 다스 할아버지와
넬로처럼 마음이 따뜻한 사람을
새 주인으로 맞게 돼
정말 행복하겠어!

얼마 뒤 파트라슈는 건강하고 튼튼해졌다. 그러나 큰 덩치에 비해 아직 몸은 많이 야위었고, 맑고 큰 눈에는 알 수 없는 슬픔이 어려 있었다.

파트라슈는 할아버지와 넬로가 자신에게 욕을 하거나 매질을 하지 않는 것이 무척이나 놀라웠다. 또 동이 트기도 전에 일어나 일을 하라고 내몰지도 않았다.

파트라슈는 지금까지 이런 주인을 만나 본 적이 없었다. 파트라슈는 할아버지와 넬로의 깊고 따뜻한 사랑에 큰 감동을 받았다. 그래서 목숨이 다할 때까지 할아버지와 넬로를 위해서 살겠다고 다짐했다. 파트라슈는 비록 개였지만 감사할 줄 알았다. 파트라슈는 상냥한 눈길로 새 주인들의 행동을 가만히 살펴보며 한참을 생각에 잠기곤 했다.

할아버지는 날마다 절룩거리는 다리로 안트베르펜의 골목골목을 다니며 우유를 배달해 생계를 꾸렸다. 그나마도 젖소를 키우는 마을 사람들이 정직하고 성실한 할아버지와 넬로를 가엾게 여겨 일감을 만들어 준 덕분이었다. 우유를 나르는 일은 나이가 많고 몸이 불편한 할아버지에게는 꽤나 힘에 부쳤다.

그러던 어느 날이었다. 따사로운 햇볕 아래 엎드려 있던 파트라슈는 할아버지가 우유 통을 실은 짐수레를 힘겹게 끌고 가는 것을 유심히 바라보았다.

다음 날 아침, 다른 날보다 훨씬 일찍 일어난 파트라슈는 할아버지보다 먼저 짐수레가 있는 곳으로 달려갔다. 그러고는 수레의 양쪽 손잡이 사이에 들어가 자리를 잡았다. 마치 자기를 보살펴 준 은혜恩惠를 갚기 위해 할아버지의 일을 돕겠다는 듯 가만히 서 있었다.

할아버지는 다정하지만 단호한 목소리로 파트라슈에게 말했다.

"안 돼! 이건 네가 할 일이 아니야. 게다가 네 목의 상처는 아직 완전히 아물지도 않았잖니. 파트라슈, 어서 나오너라."

그러나 파트라슈는 여전히 그 자리에 꿋꿋하게 서서 꼼짝도 하지 않았다. 예한 다스 할아버지는 개를 줄로 옭아매 부리는 것은 부끄러운 일이라고 생각했다.

파트라슈도 물러서지 않았다. 할아버지와 넬로가 자신에게 멍에를 씌우지 않으리라는 걸 알아채고는 이빨로 짐

은혜(恩惠) : 고맙게 베풀어 주는 신세나 혜택.

꼬끼오
파트라슈,
난 너한테 힘든 일을
시킬 수 없어.
할아버지, 저는
은혜를 갚고 싶어요.

수레를 끌려고 애썼다.

"고집이 센 녀석이구나. 좋다, 내가 졌다. 네 마음이 그렇다면 하는 수 없지."

결국 할아버지는 두 손을 들고 말았다. 은혜를 갚으려는 파트라슈의 마음에 감동하여 그 뜻을 받아들이기로 한 것이다. 할아버지는 파트라슈가 끌기에 편하도록 짐수레를 고쳐 주었다.

그날 이후로 파트라슈는 매일 아침 할아버지를 대신해 수레 끄는 일을 맡았다. 겨울이 되면서 할아버지는 파트라슈를 만난 것을 더욱 감사하게 되었다. 몸이 몹시 쇠약해진 할아버지의 건강이 해가 갈수록 점점 더 나빠졌던 것이다.

"고맙구나, 파트라슈. 네가 아니었다면 나 혼자서는 이 일을 하기에 벅찼을 텐데 말이다."

할아버지가 다정한 말을 건넬 때마다 파트라슈는 마치 다 알고 있다는 듯이 꼬리를 살랑살랑 흔들었다.

파트라슈에게 작은 오두막에서의 하루하루는 마치 천

국과도 같았다. 우유 통을 실은 작은 초록색 수레는 전에 끌던 짐수레에 비하면 아주 가벼웠다. 더욱이 이제 파트라슈 곁에는 언제나 다정한 말과 사랑이 담긴 손길로 힘을 북돋워 주는 할아버지와 넬로가 있었다. 끔찍하게 무거운 짐을 끌게 하고는 채찍을 휘두르던 옛 주인을 생각하면 할아버지는 천사였다.

게다가 우유 수레를 끄는 일은 오후 3시면 끝이 났다. 그때부터 파트라슈는 원하는 대로 지낼 수 있었다. 따사로운 햇볕을 쬐며 늘어지게 낮잠을 자거나 들판을 뛰어다니며 넬로와 장난을 쳤고, 다른 개들과 어울려 놀기도 했다. 파트라슈는 정말 행복했다.

파트라슈를
그렇게 학대하더니,
파트라슈의 전 주인은
벌을 받은 거라고.
mug

파트라슈의 이런 행복을 지켜 주기라도 하는 듯, 전 주인인 장돌뱅이는 장터에서 술에 취해 싸움을 벌이다 죽고 말았다. 혹시라도 그 사람이 건강해진 파트라슈를 우연히 본다면 오두막에 찾아와 행패를 부릴 수도 있는 일이었다.

자신이 원래 주인이니 파트라슈를 내놓으라고 우기면 할아버지는 파트라슈를 그 사람에게 돌려보낼 수밖에 없었을 것이다. 그렇게 되면 파트라슈의 행복도 끝이 났을 것이다. 하지만 이제 새로운 곳에서 다정하고 상냥한 주인과 살고 있는 파트라슈의 행복을 방해할 사람은 아무도 없었다.

해가 지날수록 예한 다스 할아버지의 건강은 점점 나빠졌다. 절룩거리면서도 파트라슈와 함께 우유를 배달하던 할아버지는 걷기조차 힘들 정도로 쇠약해졌다. 하는 수 없이 어린 넬로가 할아버지의 일을 대신해야 했다. 넬로는 아직 어렸지만 할아버지를 자주 따라다녀 안트베르펜 구석구석을 잘 알았다.

"할아버지, 너무 걱정 마세요. 안트베르펜이라면 저도 잘 알고 있는걸요."

넬로는 걱정하는 할아버지에게 제법 의젓하게 말했다.

넬로가 우유를 배달해 주면 모두가 성실하고 착한 넬로를 반기며 칭찬했다.

"어린아이가 참 야무지게 일을 잘하죠?"

"저 사랑스러운 얼굴을 보세요. 우유 맛까지 좋아지는 것 같다니까요."

정말이지 넬로는 무척 귀엽고 사랑스러운 아이였다. 선하고 맑은 밤색 눈동자와 발그레한 얼굴은 누가 봐도 사랑스러웠다. 특히 목덜미에서 살짝 구부러진 윤기 나는 금발 머리가 사랑스러움을 더했다.

아직 어린 넬로와
파트라슈가 우유를 실은
수레를 끌고 가는 모습은
정겨운 풍경이었겠어.

넬로와 파트라슈가 우유를 실은 짐수레를 끌며 함께 다니는 모습은 더욱 정겨웠다. 그래서 많은 화가들이 둘의 모습을 그리기도 했다. 우유 통을 실은 초록색 작은 수레와 믿음직해 보이는 파트라슈의 모습은 지켜보는 사람들의 마음까지 즐겁게 했다.

파트라슈가 움직일 때마다 어깨에 멘 가죽 끈에 달린 방울이 유쾌하게 울렸다. 그리고 그 옆에는 조그만 발에

넬로와 파트라슈가
배달해 주는 우유는
더 맛있다니까요.
넬로는 참
기특하기도 하죠?
파트라슈, 우리
노래 부르면서 갈까?
랄랄라~ 랄랄라~
아유, 둘의
모습은 언제 봐도
정겨워!

커다란 나막신을 신은 사랑스러운 소년 넬로가 있었다. 순박淳朴하고 선한 얼굴의 넬로는 마치 페테르 루벤스의 그림에 나오는 아이와 닮아 있었다.

여름이 되자 예한 다스 할아버지의 건강은 많이 좋아졌다. 하지만 넬로와 파트라슈가 맡은 일을 잘해 내는 덕분에 할아버지는 다시 일을 시작할 필요가 없었다.

"할아버지는 집에서 편히 쉬세요. 파트라슈랑 제가 잘 할 수 있어요."

"나 때문에 어린 네가 고생이 많구나."

"아니에요, 할아버지. 저랑 파트라슈는 괜찮아요. 그렇지, 파트라슈?"

파트라슈도 넬로의 말이 맞다는 듯 탐스러운 꼬리를 살랑대며 왈왈 짖었다.

이제 할아버지는 햇볕 좋은 곳에 앉아 넬로와 파트라슈가 문을 나서는 모습을 지켜보기만 하면 됐다. 그런 뒤에

순박(淳朴) : 거짓이나 꾸밈이 없이 순수하며 인정이 두터움.

는 잠시 졸며 꿈을 꾸기도 했다.

그러다가 저녁 무렵 씩씩하게 돌아오는 넬로와 파트라슈의 모습을 지켜보았다.

"오늘도 고생이 많았다. 착한 녀석."

할아버지가 파트라슈의 가죽 끈을 풀어 주며 쓰다듬으면 기분이 좋아진 파트라슈는 왈왈 짖으며 꼬리를 신나게 흔들었다.

넬로는 자랑스러운 얼굴로 그날 있었던 일을 할아버지에게 이야기했다.

넬로와 파트라슈, 예한 다스 할아버지가 오래도록 행복했으면 참 좋겠다.

"우윳값으로 받은 돈을 하나도 틀리지 않게 계산해서 갖다 드렸어요. 아, 오늘은 미리스 씨 댁 아주머니께서 파트라슈가 기특하다며 돼지 뼈다귀도 주셨어요."

"우리 파트라슈가 오늘 아주 신이 났겠구나."

"네. 오늘 하루 종일 기운이 철철 넘쳤다니까요."

할아버지는 다정한 얼굴로 가엾고 사랑스러운 손자의 이야기에 귀를 기울이며 저녁을 준비했다. 끼니는 호밀빵에 우유나 수프뿐인 초라한 음식이었지만 할아버지와 넬로, 파트라슈는 더 바랄 것이 없었다.

저 멀리 보이는 안트베르펜 성모 마리아 대성당의 우뚝 솟은 첨탑이 붉은 노을로 물들면, 할아버지와 넬로는 기도를 드렸다. 파트라슈도 얌전히 곁에 앉아 둘의 기도하는 모습을 지켜봤다. 그리고 셋은 행복한 표정으로 잠자리에 들었다.

그렇게 하루하루가 가고, 한 해 두 해가 지나갔다. 넬로와 파트라슈는 행복하고 또 행복했다.

3장
넬로의 비밀

봄과 여름이면 넬로와 파트라슈는 푸른 들판을 신 나게 달리며 놀았다. 우뚝 솟은 산이나 나무가 우거진 울창한 숲은 찾아보기 힘든 플랜더스의 경치는 사실 그다지 아름답다고 할 수는 없었다. 넓은 밀밭과 채소밭이 단조單調롭고 지루하게 펼쳐져 있을 뿐이었다.

때에 맞춰 애처로운 종소리를 울리는 교회의 회색 종탑과 곡식의 낟가리를 줍는 농부의 쓸쓸한 모습만이 풍경의 전부라고 할 수 있을 정도였다.

단조(單調) : 사물이 단순하고 변화가 없어 새로운 느낌이 없음.

그러나 플랜더스 지방의 광활하게 펼쳐진 지평선地平線은 이곳 특유의 경치를 자랑했다. 봄여름이면 기름진 들판에서는 아름다운 꽃들이 앞다투어 피어났고, 바람이 불 때면 강둑에 늘어선 나무들이 푸르른 잎새를 팔랑거렸다.

마을을 가로지르는 강 위를 배가 미끄러지듯 떠다닐 때면 배에 걸린 색색의 깃발이 나부끼는 모습과 팔랑거리는 나뭇잎이 어우러져 아름다운 경치를 만들어 냈다.

시원하게 탁 트인 플랜더스의 자연은 넬로와 파트라슈에게는 충분히 아름다웠다. 둘은 세상에서 이보다 아름다운 곳은 상상할 수 없었다.

넬로와 파트라슈는 우유 배달 일을 마치고 나면 강둑의 무성茂盛한 풀밭에 누워 시간을 보냈다. 둘은 바쁘게 오가는 배들을 지켜보곤 했는데, 물살을 가르며 배가 다가올 때면 시원한 물 냄새에 섞인 꽃향기가 코를 간질였다.

지평선(地平線) : 편평한 대지의 끝과 하늘이 맞닿아 경계를 이루는 선.
무성(茂盛) : 풀이나 나무 따위가 자라서 우거져 있음.

그러나 겨울은 혹독했다. 어둠이 채 가시기도 전에 옷 속을 파고드는 추위에 떨며 일어나야 했고, 텃밭에서 채소도 길러 먹을 수 없어 끼니를 거르는 날이 많았다.

매서운 추위가 몰아치는 겨울밤이면 오두막은 짐승의 우리보다 나을 것이 없었다. 차가운 겨울바람은 허름한 오두막 벽의 수많은 구멍을 귀신같이 찾아냈다. 오두막 안은 바닥으로 스며든 습기가 허옇게 얼어붙을 정도로 추웠다. 담을 온통 뒤덮었던 담쟁이덩굴은 마지막 잎사귀까지 모두 떨군 채 흙빛으로 말라붙어 오두막 바깥의 풍경은 더욱 황량하고 을씨년스러웠다.

매서운 겨울 추위에 넬로의 가녀리고 흰 팔다리는 꽁꽁 얼었고, 튼튼하고 지칠 줄 모르는 파트라슈도 얼음 조각에 발이 베어 피가 났다.

그렇지만 넬로와 파트라슈는 불평 한마디 하지 않고 새벽같이 일어나 우유 배달을 했다. 넬로는 나막신을 신고서도 씩씩하게 걸었으며, 파트라슈도 가죽 끈에 달린 방울을 짤랑거리며 얼어붙은 땅 위를 달렸다.

안트베르펜 거리의 사람들은 때때로 넬로와 파트라슈에게 작은 온정溫情을 베풀었다.

“추울 텐데 이거라도 먹으렴. 속이 든든해질 거야.”

“집에 가거든 불을 좀 지피려무나.”

한 아주머니는 수프 한 그릇과 빵 한 조각을 가져다주었고, 또 어떤 마음씨 고운 상인은 초록색 수레에 땔감 몇 덩이를 넣어 주기도 했다. 또 다른 아주머니는 배달 받은 우유를 조금씩 나누어 주기도 했다.

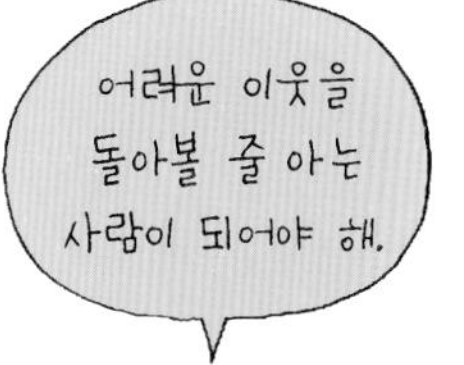

어려운 이웃을
돌아볼 줄 아는
사람이 되어야 해.

그런 날이면 넬로와 파트라슈는 추위도 잊은 채 새하얀 눈밭 위를 신이 나서 달렸다. 그러고는 해맑고 행복한 모습으로 집으로 뛰어들곤 했다. 기쁨에 넘쳐 외치면서 말이다.

온정(溫情) : 따뜻한 사랑이나 인정.

파트라슈, 얼른 집에
가서 빵 같이 먹자!
멍멍

"할아버지! 이것 보세요. 오늘은 따뜻하고 배부르게 지낼 수 있어요!"

고된 하루하루였지만 넬로와 파트라슈는 작은 일에도 감사하며 행복하게 보냈다. 파트라슈는 세 식구가 함께 사는 오두막집이 세상에서 가장 행복하고 정이 넘치는 곳이라고 생각했다. 새벽부터 밤까지 죽을힘을 다해 일을 하고도 학대를 당하는 개를 수없이 보아 왔기 때문이다. 그런 개들은 굶주리고 동상에 걸린 끝에 주인에게 버림받고서야 고통에서 벗어날 수 있었다.

파트라슈는 자신의 운명에 마음속 깊이 감사했다. 물론 하루 종일 쫄쫄 굶을 때도 많았고, 견디기 힘들 정도의 더위와 추위 속에서도 수레를 끌어야 했다. 울퉁불퉁하고 날카로운 돌멩이 때문에 발바닥에 상처를 입는 날도 많았다. 강인하고 인내심 많은 파트라슈도 이제 나이가 들어 일은 점점 힘에 부쳤다.

그러나 파트라슈는 지금의 생활에 만족했다. 매일매일 자기 몫의 일을 성실하게 해냈고, 그럴 때마다 사랑이 가득 담긴 눈길로 미소 짓고 보살펴 주는 가족이 있었다. 파트라슈는 그것만으로도 충분했다.

그런데 어느 날부터 파트라슈에게 신경 쓰이는 일이 하나 생겼다. 넬로의 행동이 평소와 조금 달라진 것이다.

모든 것은 안트베르펜에서 시작됐다. 어느 날인가부터 넬로는 우유 배달을 마치면 다닥다닥 붙은 지붕들 사이로 위엄 있게 우뚝 선 석조 건물 안으로 들어갔다. 그 건물은 바로 안트베르펜의 성모 마리아 대성당이었다.

파트라슈, 넬로는
루벤스의 그림을 보러
매일같이 대성당에
오는 거야.

넬로는 아치 모양의 출입문 안으로 사라지곤 했다. 어디를 가더라도 늘 꼭 붙어 다니던 단짝인 자신마저 내버려 두고 사라지는 넬로의 행동을 파트라슈는 이해할 수 없었다. 파트라슈는 돌이 깔린 길바닥에 쭈그려 앉아 넬로를 기다리면서 곰곰이 생각했다.

'넬로는 무엇 때문에 매일같이 여기에 오는 걸까?'

파트라슈도 처음엔 넬로를 따라가려고 했다. 넬로가 무엇 때문에 매일같이 이곳을 찾아오는지 알고 싶었던 것이다. 하지만 은줄이 달린 짙은 색 제복을 입은 성당지기는 초록색 수레를 달가닥거리며 안으로 들어가려 애쓰는 파트라슈를 냉정하게 쫓아냈다.

"이런, 이 녀석! 어딜 들어가려는 거냐. 저리 비켜!"

파트라슈는 곧 포기했다. 괜히 자기 때문에 넬로에게 나쁜 일이라도 생길까 봐 걱정이 됐기 때문이다. 파트라슈는 넬로가 나타날 때까지 성당 앞에서 참을성 있게 기다렸다.

파트라슈도 사람들이 성당에 다닌다는 것쯤은 알았다. 마을 사람들 모두가 빨간 풍차 방앗간 건너편에 있는 작은 회색 성당에 다니는 것을 보아서 잘 알고 있었다.

다만 성당에서 나오는 넬로의 표정이 이상한 것이 걱정이었다. 성당을 나서는 넬로의 얼굴은 잔뜩 상기上氣되어

상기(上氣) : 흥분이나 부끄러움으로 얼굴이 붉어짐.

있거나 아니면 아주 시무룩했다. 그런 날이면 넬로는 집에 돌아가서도 아무 말이 없었다. 파트라슈와 놀아 주지도 않았다. 그저 강 건너 저 멀리 저녁 하늘을 하염없이 바라볼 뿐이었다.

'도대체 무엇 때문일까?'

파트라슈는 무척 궁금했다. 어린아이가 그토록 심각한 표정을 짓는 것을 보면 보통 일이 아닌 것은 분명했다. 파트라슈는 어떻게 해서든 넬로를 걱정거리에서 벗어나게 해 주고 싶었다. 그래서 넬로를 햇살 좋은 들판이나 활기 넘치는 시장으로 데려가려고 무진無盡 애를 썼다. 하지만 넬로는 오로지 성당으로만 가려고 했다.

파트라슈는 성당 밖에 홀로 남겨진 채 마냥 넬로를 기다려야 했다. 지루한 나머지 기지개를 켜고, 하품을 하고, 한숨을 푹푹 쉬기도 했다. 가끔은 넬로에게 들리도록 깽깽거리기도 했다.

무진(無盡) : 다할 수 없을 만큼 매우.

그러나 넬로는 파트라슈는 잊어버렸는지 성당 문을 닫을 시간이 다 되어서야 쫓겨 나오곤 했다. 밖으로 나오면 넬로는 기다리고 있던 파트라슈의 목을 얼싸안았다. 그리고 파트라슈의 널찍한 이마에 입을 맞추며 중얼거렸다.

"파트라슈, 오늘도 볼 수 없었어. 단 한 번만이라도 좋으니 그것들을 볼 수만 있다면 얼마나 행복할까? 딱 한 번만 말이야."

'도대체 무엇이 보고 싶다는 걸까?'

파트라슈는 안타까운 마음에 커다란 눈으로 넬로를 올려다보며 생각했다. 넬로를 도와주고 싶었지만 파트라슈가 할 수 있는 일은 아무것도 없었다.

어느 날이었다. 파트라슈는 그날도 성당 밖에서 하염없이 넬로를 기다리고 있었다. 그런데 문득 고개를 들어 보니 성당지기가 보이지 않았다. 파트라슈는 그 틈을 놓치지 않았다. 성당지기가 잠시 자리를 비운 사이 파트라슈는 재빨리 성당 안으로 들어갔다. 그리고 마침내 알게 되었다. 넬로의 마음을 빼앗은 것은 성가대 뒤쪽 벽에 걸린 커다란 그림이었다. 그림은 커튼으로 가려져 보이지 않았다.

넬로는 미사를 드리는 단 앞에 무릎을 꿇고 엎드려 기도를 드리고 있었다. 얼굴은 온통 눈물범벅이었다. 미사를 드리는 단 앞에는 성모 마리아가 하느님의 부름을 받고 하늘로 올라가는 모습이 그려진 루벤스의 〈성모 승천〉이 걸려 있었다.

잠시 뒤 파트라슈를 발견한 넬로는 얼른 일어섰다. 그러고는 파트라슈를 데리고 서둘러 밖으로 나왔다. 성당지기가 파트라슈를 보기 전에 빨리 성당에서 나가야 했기 때문이다. 천으로 가려진 그림 앞을 지나면서 넬로는 파트라슈에게 처음으로 자신의 마음을 털어놓았다.

"파트라슈……, 돈이 없으면 그림을 볼 수 없다니 정말 너무하지? 저 그림은 돈을 내는 사람만 볼 수 있단다. 물론 나는 돈을 낼 수가 없어. 그분이 저 그림을 그리셨을 때는 가난한 사람들에게 보여 주지 않겠다고는 생각하지 않으셨을 텐데 말이야. 그분이 살아 계셨다면 누구든 그

커튼에 가려진
그림을 꼭 한 번만
볼 수 있게 해 주세요.
그림을 보려고
매일같이 이곳에
온 거였어.

림을 볼 수 있게 해 주셨을 거야. 난 분명히 그렇게 믿어. 그런데도 캄캄한 어둠 속에 저 아름다운 그림을 가둬 두다니! 부자들이 와서 돈을 내야만 빛을 볼 수가 있어. 아, 난 저 그림을 볼 수만 있다면 죽어도 좋은데……."

루벤스는 바로크 시대 플랜더스 제일의 화가였어. 밝게 타오르는 듯한 색채와 웅대한 구도로 생기가 넘치는 작품을 많이 남겼단다.

넬로가 보고 싶어 하는 그림은 루벤스의 〈십자가로 올려지는 예수〉와 〈십자가에서 내려지는 예수〉였다. 거장巨匠의 그림을 보기 위해서는 성당에서 요구하는 돈을 내야 했다. 가난한 넬로가 그 돈을 마련하기에는 성당의 첨탑 높이만큼이나 까마득한 일이었다.

넬로는 단 한 푼도 모을 수가 없었다. 아무리 우유 배달을 열심히 해도 겨우 땔감을 조금 사거나 묽은 수프를 약간 구하는 게 전부였

거장(巨匠) : 예술, 과학 따위의 어느 일정 분야에서 특히 뛰어난 사람.

다. 하지만 넬로는 루벤스의 위대한 두 작품에 온통 마음을 빼앗겼다. 그림을 향한 넬로의 열정은 꺼질 줄 모르고 타올랐다.

넬로는 이른 새벽부터 커다란 개와 함께 우유를 배달해야 간신히 먹고사는 가난한 시골 소년이었다. 하지만 넬로의 정신은 그림이라는 예술 세계에 닿아 있었다.

차가운 겨울바람이 넬로의 탐스러운 금발 머리를 흩날리고, 남루하고 얇은 옷자락을 파고들어도 넬로는 추운 줄 몰랐다. 넬로의 머릿속은 오로지 그림으로 가득했다.

넬로는 태어날 때부터 지독하게 가난했다. 글을 배우지도, 사람들의 관심을 끌지도 못했다. 그저 가난하고 가엾은 어린 소년일 뿐이었다. 그러나 넬로는 예술적 천재성을 타고났다. 가난한 넬로에게 그것은 축복이라기보다는 오히려 잔인한 일이었다.

어느 누구도 넬로의 타고난 재능을 알아채지 못했다. 심지어 넬로 자신도 몰랐다. 오직 파트라슈만이 넬로의 안에서 강렬하게 꿈틀대는 그것의 존재를 알 뿐이었다.

파트라슈는 항상 넬로와 함께 지내며, 넬로의 생명력 넘치는 그림을 지켜보았다. 제대로 된 종이도 그림 도구도 없이 길바닥의 돌에 숯으로 그린 그림이었지만, 넬로의 그림은 경이로움 그 자체였다.

파트라슈는 넬로가 밤마다 애처로운 목소리로 기도하는 것을 알고 있었다. 넬로의 이런 마음을 알지 못하는 예한 다스 할아버지는 종종 어린 손자에게 자신의 소박한 꿈을 이야기하곤 했다.

"네가 어른이 되면 이런 오두막이라도 좋으니 집을 장만하면 좋겠구나. 손바닥만 한 땅덩이라도 있어서 이웃들에게 '나리'라고 불린다면 이 할아버지는 무덤에 가서도 걱정이 없을 것 같구나."

플랜더스 지방의 가난한 농부들의 가장 큰 소원은 아주 조금이라도 자기 땅이 있어서 주변 사람들에게 '나리'라고 불리는 것이었다. 땅을 소유하고 있는 지주들만이 나리라고 불릴 수 있었다.

젊은 시절 군인으로 세상을 이리저리 떠돌다 빈손으로

돌아온 할아버지는 한곳에 뿌리를 내리고 사는 것을 행복하고 만족스러운 삶이라고 여겼다. 그것은 죽음을 앞둔 자신이 손자를 위해 해 줄 수 있는 가장 큰 기도이자 바람이었다.

넬로는 할아버지의 말을 조용히 듣고 있을 뿐 아무 대꾸도 하지 않았다. 넬로의 생각은 이미 다른 곳에 가 있었다. 꿈을 꾸는 듯한 넬로의 머릿속에는 루벤스를 비롯한 안트베르펜의 위대한 화가들의 그림으로 가득했다.

안트베르펜 출신
가운데 유명한 화가로는
안토니 반 다이크가
있단다.

넬로는 할아버지의 바람과는 다른 미래를 꿈꿨다. 손바닥만 한 땅덩이를 일구고, 흙으로 만든 오두막에 살며, 자기보다 조금 더 가난한 사람들에게 '나리'라고 불리는 것 따위는 아무래도 좋았다.

붉게 물든 저녁 하늘, 또는 희뿌연 아침 안개 저 너머로 보이는 성모 마리아 대성당의 첨탑은 넬로에게 다른 꿈을 속삭이고 있었다.

넬로는 파트라슈에게만은 속마음을 털어놓았다. 새벽 안개를 헤치고 함께 일을 나설 때나, 강둑 풀밭에 누워 쉴 때면 넬로는 파트라슈의 귀에 대고 자기의 꿈을 소곤소곤 속삭였다.

"파트라슈, 나는 루벤스처럼 사람들에게 감동을 주는 그림을 그릴 거야. 그리고 가난한 사람들도 내 그림을 마음껏 볼 수 있게 할 거야. 돈이 없어 그림을 보지 못하는 건 정말 슬픈 일이니까."

만약 할아버지가 이 말을 들었다면 분명 크게 당혹스러워 했을 것이다. 넬로의 꿈은 늙고 몸이 아픈 예한 다스 할아버지가 감당하기에는 너무도 엄청난 것이었다. 더구나 할아버지에게는 안트베르펜 거리의 술집 벽에 걸린 성모 마리아의 그림이나 루벤스의 성스러운 그림이나 별로 다를 게 없었다.

파트라슈, 내가 루벤스처럼 위대한 화가가 되면 돈을 내지 않아도 누구나 내 그림을 볼 수 있게 할 거야.
넬로, 네 꿈이 꼭 이루어지기를 기도할게.

4장

풍차 방앗간 집의 소녀 알루아

넬로에게는 자기의 비밀스러운 꿈을 털어놓을 수 있는 친구가 파트라슈 말고도 또 있었다. 같은 마을에 사는 알루아라는 소녀였다.

알루아는 언덕 위 빨간 풍차 방앗간에 살았다. 방앗간 주인인 알루아의 아버지는 이 마을에서 가장 부자였다. 알루아는 동글동글한 얼굴에 볼이 발그레한 아주 귀여운 소녀였다. 반짝이는 눈동자는 더없이 사랑스러웠다.

알루아는 넬로와 친하게 지냈다. 물론 파트라슈하고도 사이가 좋아 셋은 들판을 쏘다니며 놀았다. 데이지 꽃과 월귤 열매를 따기도 했고, 겨울이면 눈이 소복하게 쌓인 언덕을 내달리기도 했다. 또 언덕 위의 회색 성당까지 함께 올라가기도 했고, 풍차 방앗간 옆에 나란히 앉아 도란도란 이야기를 나누기도 했다.

알루아는 아직 열두 살밖에 되지 않았지만, 사람들은 마을에서 가장 부잣집 외동딸인 알루아를 자기 아들과 결혼시키고 싶어 했다. 알루아는 자신이 물려받을 유산에는 관심이 없었다. 아직은 그저 어리고 천진난만天眞爛漫한 소녀일 뿐이었다.

알루아가 가장 좋아하는 친구는 바로 넬로와 파트라슈였다. 그 어느 친구도 넬로와 파트라슈만큼 좋아하지는 않았다.

어느 날, 알루아의 아버지 코제 씨가 풍차 방앗간 뒤에서 놀고 있는 아이들을 보고 다가갔다.

코제 씨는 마음씨가 나쁜 편은 아니었지만 고집이 세고

천진난만(天眞爛漫) : 말이나 행동에 아무런 꾸밈이 없이 자연 그대로 깨끗하고 순진함.

인정이 없기로 마을에서 소문난 사람이었다.

아이들은 풀밭에서 놀고 있었다. 알루아의 무릎에는 파트라슈의 커다란 머리가 얹혀 있었고, 알루아와 파트라슈는 들꽃으로 만든 화환을 목에 걸고 있었다. 넬로는 몇 걸음 떨어진 곳에 앉아 무언가에 열중하고 있었다.

코제 씨가 다가가서 보니 넬로는 나무판 위에 숯으로 알루아를 그리고 있었다. 넬로의 그림을 본 순간, 코제 씨의 눈에 눈물이 핑 돌았다. 넬로의 그림은 신기하게도 눈에 넣어도 아프지 않을 외동딸의 모습 그대로였다.

'아니, 이건……! 마치 알루아가 그림 속으로 걸어 들어간 것 같아.'

잠시 넋을 잃고 넬로의 그림을 바라보던 코제 씨는 갑자기 딸을 호되게 꾸짖었다.

"알루아, 넌 하루 종일 빈둥댈 생각인 거냐? 어서 집에 들어가 어머니 일을 도와 드려라! 어서!"

"하, 하지만 아버지……."

알루아는 아버지의 느닷없는 호통에 놀라 울먹였다.

넬로, 나 아주
예쁘게 그려 줘야 해!
넌 예쁘니까
있는 그대로만
그리면 돼!
넬로, 나도
그려 주는 거지?

코제 씨는 울먹이는 알루아를 서둘러 집 안으로 들여보냈다. 그러고는 곧바로 넬로의 손에서 나무판을 낚아채며 소리쳤다.

"너 지금 뭐하는 짓이냐! 누가 너더러 이렇게 어리석은 짓을 하라고 한 거야?"

화가 잔뜩 난 코제 씨의 목소리가 떨리고 있었다. 놀란 넬로는 어쩔 줄 몰라 얼굴을 붉히며 고개를 숙였다. 그러고는 모기만 한 목소리로 웅얼거렸다.

"저는 뭐든 그리고 싶은 걸요. 눈에 보이는 건 뭐든……."

넬로는 위대한
화가가 되는 게 꿈인데,
쓸데없고 어리석은
일이라고? 말도 안 돼!

한동안 잠자코 있던 코제 씨가 불쑥 1프랑짜리 은화를 내밀었다.

"그림 그리는 일은 쓸데없고 어리석은 일이다. 시간만 낭비하는 거지. 어쨌거나 이 그림은 알루아를 꼭 닮았고, 알루아 어머니가 보면 좋아할 테니 내게 팔아라. 이 은화를 주마."

넬로의 얼굴에서 핏기가 싹 가셨다. 넬로는 자기도 모르게 얼른 손을 등 뒤로 감췄다.

"아니에요! 돈은 필요 없어요. 그림은 그냥 가져가셔도 좋아요."

넬로는 순진하게 말을 이었다.

"나리께서 저한테 잘해 주셨으니까요."

말을 마친 넬로는 파트라슈와 함께 도망치듯 들판을 가로질러 사라져 버렸다.

"그 돈이면 성당의 그림들을 볼 수 있었을 텐데……."

집에 돌아온 넬로는 파트라슈를 보며 중얼거렸다.

"하지만 알루아를 그린 그림을 팔 수는 없어. 아무리 성당의 그림이 보고 싶어도 그건 안 되는 거야. 그렇지, 파트라슈?"

파트라슈는 넬로의 마음을 이해한다는 듯 꼬리를 살랑살랑 흔들어 댔다.

코제 씨는 씁쓸한 마음으로 집으로 돌아갔다.

"그 녀석을 알루아와 어울리게 놔둬서는 안 되겠어."

그날 밤 코제 씨가 아내에게 말했다.

"둘을 그대로 뒀다가는 앞으로 골치 아픈 일이 생길지도 몰라. 넬로 녀석은 열다섯 살이고 우리 알루아는 열두 살이야. 게다가 그 녀석은 제법 반반하게 생겼으니까."

"그뿐인가요? 얼마나 착하고 성실한데요. 마을 사람들도 칭찬이 자자해요."

알루아의 어머니는 넬로가 그린 그림에서 눈을 떼지 못했다. 넬로가 그린 그림은 참나무 뻐꾸기 시계와 그리스도 수난상受難像이 있는 선반 위에 놓여 있었다.

"그건 나도 인정하지만……."

코제 씨는 포도주를 들이켜며 말끝을 흐렸다.

"그렇다면……."

알루아의 어머니는 남편의 눈치를 살피며 조심스레 말을 이었다.

"그러니까 하는 말인데요. 알루아는 두 사람이 살기에

수난상(受難像) : 예수가 십자가에 못 박힐 때 당한 고난을 표현한 조각상.

충분한 재산을 물려받게 될 거고, 우리 알루아가 만족하고 행복하다면……."

"쓸데없는 소리 그만둬! 모르면 잠자코 있으라고!"

코제 씨는 포도주 잔을 내려놓으며 잘라 말했다.

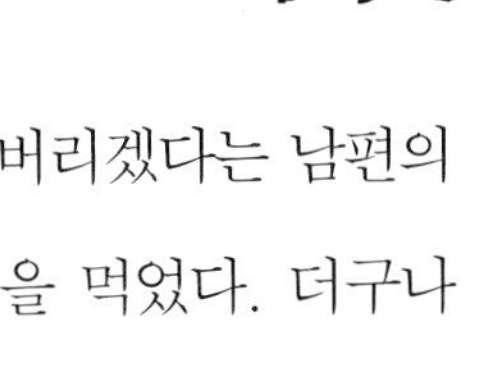

넬로가 가난하다는 이유로 알루아와 어울리지 말라고 하다니, 코제 씨는 완전 속물이군.

"그 녀석은 땡전 한 푼 없는 거지야! 게다가 화가가 되겠다는 허황虛荒된 꿈을 꾸고 있다고! 오히려 거지보다도 못하지. 그 녀석이랑 알루아가 앞으로 가까이 지내지 않도록 각별히 신경 써. 그렇지 않으면 아예 알루아를 수녀원에 보내 버릴 테니까."

사랑하는 어린 딸을 수녀원에 보내 버리겠다는 남편의 으름장에 알루아의 어머니는 잔뜩 겁을 먹었다. 더구나 남편이 이렇게까지 고집스럽게 행동한 적은 한 번도 없었

허황(虛荒) : 헛되고 황당하며 미덥지 못함.

다. 결국 알루아의 어머니는 남편의 생각을 따르기로 했다. 그러나 넬로를 냉정하게 대하지는 않았다. 가난한 것은 넬로의 죄가 아니었으므로.

하지만 알루아를 넬로와 어울리지 못하게 설득하기는 쉽지 않았다. 알루아는 부모님의 갑작스런 행동이 의아할 뿐이었다.

코제 씨가 가난하다는 이유로 알루아와 놀지 못하게 하는 걸 넬로가 알게 되면 더 상처를 받을 텐데…….

그건 넬로도 마찬가지였다.

'내가 무엇을 잘못했기에 알루아의 부모님이 나와 알루아를 놀지 못하게 하는 걸까?'

생각이 깊은 넬로는 마음의 상처를 받았다. 하지만 자기가 무엇을 잘못했는지 이유를 알지 못했다. 다만 코제 씨가 자기를 탐탁지 않아 하는 모양이라고 짐작할 따름이었다.

'지난번 풀밭에서 알루아를 그린 그림이 마음에 들지 않으셨나 봐.'

예전 같으면 시간이 날 때마다 찾곤 했던 언덕 위의 빨간 풍차 방앗간이었지만 넬로는 더 이상 그곳에 가지 않았다. 알루아가 반갑게 뛰어와서 손이라도 잡으려 하면 넬로는 쓸쓸한 미소를 지으며 물러섰다.

"알루아, 어서 집으로 돌아가. 나리께서 아시면 크게 화를 내실 거야. 나리께서는 네가 나랑 어울리는 걸 좋아하지 않으셔. 나리는 훌륭한 분이시고 너를 많이 사랑하시잖아. 그러니까 걱정을 끼쳐 드리면 안 되는 거야."

알루아는 눈물이 가득 고인 눈으로 넬로를 쳐다보다 집으로 달려갔다. 말은 그렇게 했지만 넬로의 마음은 무척 아팠다. 마음을 털어놓고 가깝게 지내던 친구를 잃었다는 생각에 슬픔이 밀려왔다. 파트라슈와 함께 미루나무가 곧게 뻗은 길을 걸어 보았지만 전처럼 즐겁지 않았다.

빨간 풍차 방앗간은 넬로에게는 정겨운 곳이었다. 어디를 가든 그 옆을 지날 때면, 잠시 멈춰 서서 그 집 사람들과 인사를 하고 이야기를 나누곤 했다. 그러면 어느새 알루아가 사과처럼 발그스레한 얼굴을 방앗간 쪽문으로 들이밀었다.

"안녕, 넬로? 파트라슈도 왔구나. 파트라슈, 이것 보렴. 네가 좋아하는 뼈다귀란다."

알루아의 손에는 늘 파트라슈에게 줄 뼈다귀나 빵 부스러기가 들려 있었다.

하지만 이제는 모든 게 변했다.

방앗간을 지나칠 때면 파트라슈도 아쉬운 눈길로 굳게 닫힌 문을 바라보았다. 넬로는 가슴 한구석이 저며 오는 아픔을 애써 감추며 그 앞을 스쳐 지나갔다.

집 안에 꼼짝없이 갇힌 알루아는 벽난로 앞에 앉아 눈물을 뚝뚝 흘리고 있었다. 코제 씨는 그런 딸의 모습이 애처로워 가슴이 아팠지만 금방 마음을 다잡았다.

'넬로 녀석은 알거지야. 어디 그뿐이야? 그림을 그린답시고 게으름이나 피우는 어리석은 녀석일 뿐이야. 이게 모두 알루아의 장래를 위해서야. 알루아도 언젠가 이 애비를 이해해 주겠지. 나중에 후회할 일을 만들지 않으려면 이게 최선이야.'

왜 갑자기
넬로를 만나지 말라고
하시는 거죠?
훌쩍 훌쩍
이게 다 네
장래를 위해서 그러는
거니까 내 말 들어!

코제 씨는 한번 결심한 일은 무슨 일이 있어도 하고야 말았다. 하나밖에 없는 딸 알루아를 위해서라면 더욱 그랬다. 알루아네 집 문은 늘 굳게 닫혀 있었다.

하루에도 몇 번씩 서로의 집을 오가며 놀던 넬로와 알루아에게는 더없이 큰 고통이었다. 두 아이의 모습을 곁에서 지켜보며 함께 놀던 파트라슈도 기운이 없긴 마찬가지였다. 넬로와 알루아의 기분을 맞추느라 목걸이에 달린 방울을 짤랑짤랑 흔들던 흥겨움도 사라졌다.

방앗간 집 선반에는 여전히 알루아의 모습을 그린 나무판이 놓여 있었다. 코제 씨도 사랑하는 외동딸을 쏙 빼닮게 그린 그 그림만은 아꼈다.

넬로는 코제 씨를 조금도 원망하지 않았다. 원래 착한 성품을 타고나기도 했지만 할아버지는 늘 이렇게 말했다.

"우린 가난하단다. 하지만 신이 주신 운명이니 겸손謙遜하게 받아들여야 한다. 언짢고 기분이 상하는 일이 있더

겸손(謙遜) : 남을 존중하고 자기를 내세우지 않는 태도.

라도 항상 착한 마음으로 받아들이려무나. 그리고 늘 감사하는 마음을 잃지 말아라."

할아버지를 진심으로 존경하고 사랑하는 넬로는 할아버지의 말을 거스르지 않았다.

"네, 할아버지. 전 가난쯤은 얼마든지 이겨 낼 수 있어요. 그러니 걱정하시지 않아도 돼요."

그러나 넬로에게는 꿈이 있었다. 그 꿈은 언제나 가난한 넬로의 마음을 달래 주었다.

'가난한 사람도 자신의 꿈을 선택할 수는 있어. 난 남들이 우러러보는 위대한 사람이 될 거야. 그럼 사람들도 가난한 우리를 업신여기지 않을 거야.'

5장

단 하나의 희망

넬로는 언제나처럼 파트라슈와 함께 강둑의 풀밭에 앉아 흘러가는 강물을 바라보고 있었다. 멀리서 넬로를 알아보고 한걸음에 달려온 알루아가 넬로의 손을 잡고 흐느꼈다.

"알루아, 너무 속상해하지 마. 너희 부모님들도 언젠가는 나를 인정해 주실 거야. 난 이다음에 반드시 훌륭한 화가가 될 거거든. 그럼 너희 아버지도 우리를 못 만나게 하시지 않을 거야. 알루아, 네가 나를 언제까지나 지켜봐 준다면 나는 꼭 위대한 사람이 될 거야."

넬로가 달래자 알루아는 울음 섞인 목소리로 말했다.

"아버지는 정말 너무하셔! 내일 내 생일에 넬로를 초대招待하면 안 된대. 아버지가 도대체 왜 그러시는지 모르겠어. 왜 넬로만 그렇게 모질게 대하시는 걸까? 넬로, 난 정말 어쩌면 좋아. 흑흑……."

'아……! 그러고 보니 내일이 알루아의 생일이었구나.'

코제 씨가
넬로를 무시한 것을
후회할 날이 분명
올 거야!

해마다 알루아의 생일이면 알루아의 부모님은 딸의 친구들을 모두 불러 큰 잔치를 열어 주었다. 그 자리에 넬로도 꼭 참석하곤 했는데, 올해는 초대하지 말라고 했다는 것이다.

넬로는 눈길을 돌렸다. 플랜더스 하늘 저 멀리 보이는 성모 마리아 대성당의 첨탑이 황금빛으로 물들어 있었다. 넬로의 얼굴에 쓸쓸한 미소가 번졌다. 넬로는 알루아의 어깨를 다독이며 다정한

초대(招待) : 어떤 모임에 참가해 줄 것을 청함.

생일
고마워~
축하해~
알루아, 난
괜찮으니까 울지 마!
아버지께서 내 생일에
넬로 널 초대하지 말라셔.
넬로가 마음이
많이 아프겠어.
흑흑

목소리로 속삭였다.

"알루아, 난 괜찮아. 우리는 언제까지나 친구니까. 생일 축하해!"

"고마워, 넬로! 그럼 또 만나자."

알루아와 헤어진 넬로는 누렇게 익은 밀밭 사이로 천천히 걸어 들어갔다.

넬로는 먼 훗날 훌륭한 화가로 성공해서 이곳에 돌아오는 때를 상상했다. 알루아의 아버지와 어머니가 정중鄭重하게 자신을 맞이하고, 자신을 보기 위해 몰려든 마을 사람들은 이렇게 수군거릴 것이다.

"세상에! 위대한 화가가 되더니 왕처럼 근사하잖아. 우유를 배달하며 겨우 끼니를 잇던 가난뱅이 넬로가 저렇게 멋져지다니."

"누가 아니래. 넬로가 루벤스 같은 위대한 화가가 될 줄 상상이나 했겠어?"

정중(鄭重) : 태도나 분위기가 점잖고 엄숙함.

귀족들이나 입을 수 있는 자줏빛 모피를 걸친 할아버지의 모습도 떠올렸다.

‘할아버지께는 멋진 초상화도 그려 드려야지.’

물론 넬로는 파트라슈도 빠뜨리지 않았다. 넬로는 반짝이는 금목걸이를 한 파트라슈를 쓰다듬으며 사람들에게 이렇게 말할 것이다.

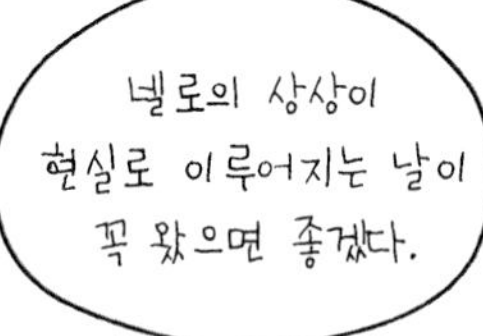

넬로의 상상이
현실로 이루어지는 날이
꼭 왔으면 좋겠다.

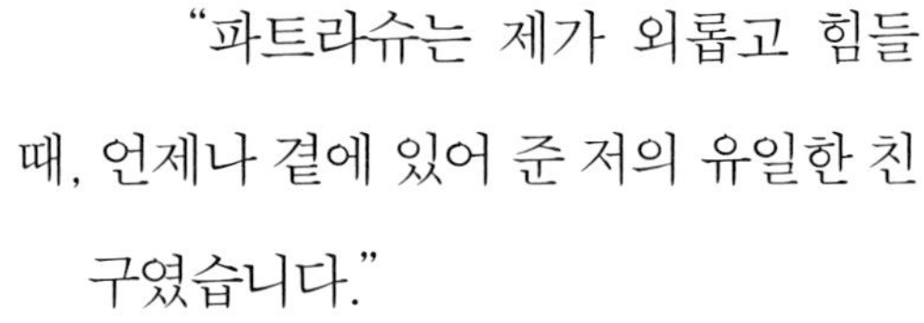

“파트라슈는 제가 외롭고 힘들 때, 언제나 곁에 있어 준 저의 유일한 친구였습니다.”

넬로는 대성당의 첨탑이 보이는 언덕에 대리석으로 웅장한 궁전을 짓고 온갖 꽃이 만발한 예쁜 정원도 꾸미고 싶었다. 하지만 이 궁전은 넬로 자신을 위한 것이 아니었다. 가난하지만 큰 꿈을 품은 아이들이 살기 위한 궁전이었다. 넬로는 아이들이 자신에게 감사의 말을 전하면 이렇게 말할 작정이었다.

"제가 아니라 루벤스 님께 감사하세요. 그분이 안 계셨더라면 오늘의 저는 없었을 거예요. 그분은 제게 꿈과 희망을 주셨습니다."

아름답고 순수한 이 꿈만으로도 넬로의 가슴은 행복으로 충만充滿해지는 듯했다.

다음 날, 넬로가 파트라슈와 어두컴컴하고 초라한 오두막에서 딱딱하게 굳은 빵으로 끼니를 때우고 있을 때 방앗간 집에서는 온 마을 아이들이 모여 알루아의 생일을 축하했다. 아이들은 큼지막하고 둥그런 케이크와 아몬드를 넣어 만든 과자를 배불리 먹었다. 그러고는 밤이 늦도록 플루트와 바이올린 소리에 맞춰 춤을 추었다. 흥겨운 음악 소리는 바람결에 실려 오두막까지 들려왔다.

알루아의 생일에 초대 받지 못했지만 넬로는 꿈이 있어 견딜 수 있었다.

"파트라슈, 난 슬프지 않아. 내가 위대한 화가가 되면

충만(充滿) : 한껏 차서 가득함.

알루아의 아버지도 날 인정해 주실 테니까."

넬로는 두 팔로 파트라슈의 목을 끌어안고 나지막히 말했다. 파트라슈는 넬로가 알루아의 생일에 초대 받지 못한 슬픔을 애써 감추고 있다는 걸 잘 알았다.

"오늘이 알루아의 생일 아니었니?"

침대에 힘없이 누워 있던 할아버지가 넬로에게 물었다. 넬로는 아무 말 없이 고개를 끄덕였다. 넬로는 할아버지가 알루아의 생일을 정확하게 기억하고 있는 것이 마음 아팠다.

"그런데 왜 가지 않았니? 전에는 너도 꼭 갔었잖니?"

"전 괜찮아요. 할아버지 몸도 불편하신데 혼자 계시게 할 수는 없어요."

넬로는 애써 해맑은 표정을 지어 보였다.

"쯧쯧! 눌레트 부인한테 부탁해서 잠깐 와 달라고 하면 됐을 것을 그랬구나. 알루아랑 다툰 건 아니지?"

"아니에요. 다툰 게 아니라……."

넬로는 얼른 말을 잇지 못하고 얼굴을 붉혔다.

"사실은 알루아 아버지께서 저를 초대하지 말라고 하셨대요. 저한테 마음이 좀 상하셨거든요."

"마음이 상하다니, 무슨 잘못이라도 한 거냐?"

"저도 잘은 모르겠어요, 할아버지. 그냥 전에 나무판에 알루아의 초상화를 그리는 걸 보시고는……."

"아……!"

할아버지는 갑자기 아무 말이 없었다. 넬로가 알루아의 생일 잔치에 초대 받지 못한 까닭을 알았기 때문이다. 할아버지는 비록 초라한 오두막의 지푸라기 침대에 힘없이 누워 있는 처지였지만, 세상 돌아가는 이치까지 모르지는 않았다.

할아버지는 다정한 손길로 넬로의 얼굴을 당겨 가슴에 안았다. 그러고는 넬로의 등을 토닥였다.

"넬로야, 너무 실망하지 마라."

할아버지의 목소리가 떨렸다.

"그리고 알루아의 아버지를 미워하지

코제 씨가 가난하다는
이유로 넬로를 싫어하는 걸
알게 된 할아버지의 마음이
참 아팠겠어.

도 원망하지도 마라. 내가 널 사랑하듯이 알루아의 아버지도 알루아를 사랑해서 그런 거란다. 내 말 이해하겠니, 넬로?"

"네, 할아버지. 전 괜찮아요. 제겐 소중한 꿈이 있으니까요."

넬로는 나직하게 말했다. 목소리에서는 강한 신념이 느껴졌다. 순수한 넬로는 정말 그렇게 믿었다. 자기는 반드시 위대한 화가가 될 거라고.

넬로는 오두막을 나와 들판에 섰다. 적막한 가을밤의 어둠이 넬로를 감쌌다. 밤하늘에는 수많은 별이 빛나고 있었다. 멀리 보이는 풍차 방앗간 집 창문에는 불이 훤히 밝혀져 있었다. 가끔씩 플루트 소리도 들려왔다.

눈물방울이 넬로의 볼을 타고 흘러내렸다.

"난 반드시 훌륭한 화가가 될 거야. 두고 봐!"

넬로는 온 세상이 고요하고 캄캄해질 때까지 오래도록 그렇게 서 있었다. 한참을 그렇게 서 있은 후에야 넬로는 오두막으로 들어와 파트라슈와 함께 잠이 들었다.

왁자지껄
난 꼭 훌륭한
화가가 될 테야.
휘잉

얼마 뒤 넬로에게는 파트라슈만이 아는 비밀이 생겼다.

오두막 뒤에는 다 허물어져 가는 헛간이 하나 있었다. 초라하고 썰렁했지만 남쪽으로 난 창문으로 밝은 햇살이 쏟아져 들어왔다.

넬로는 헛간을 깨끗이 치운 뒤 이곳을 그림 그리는 장소로 삼았다. 먼저 거친 나무토막을 다듬어 이젤을 만들고 그림을 그리기 시작했다.

처음부터 끝까지 혼자만의 힘으로 해야 했다. 그림을 가르쳐 줄 사람은 아무도 없었다. 또 그림물감을 살 돈도 없었다. 몇 가지 되지 않는 보잘것없는 미술 도구를 장만하느라 넬로는 그동안 수도 없이 끼니를 걸러야 했다.

석필은 검은색이나
붉은색의 점토를 단단하게
붓처럼 만들어 통에 끼워 글씨를
쓰거나 그림을 그리는 데
쓰는 기구야.

넬로가 온 정성을 쏟아 석필로 그린 그림은 나무 밑동에 앉아 있는 어딘가 슬퍼 보이는 노인의 모습이었다. 예전에 나무꾼 미셸 할아버지가 해질

녘이면 그렇게 앉아 있던 모습을 떠올려 그린 것이다.

그림을 배운 적이 없는 넬로는 미술에 대해 아무것도 아는 것이 없었다. 원근법遠近法이나 명암明暗이 무엇인지는 몰랐지만, 넬로는 온갖 고난과 슬픔과 세월의 풍파를 겪은 사람의 쓸쓸한 표정을 자신만의 독특한 느낌으로 표현했다. 물론 그림은 거칠었고, 흠잡을 데도 많았다. 그러나 사실적이고 자연스러운 넬로의 그림은 보는 사람을 감동시키기에 부족함이 없었다.

파트라슈는 날마다 우유 배달을 마치고 나면 그림을 그리는 넬로 옆에서 시간을 보냈다. 넬로의 그림이 조금씩 완성되어 가는 것을 지켜보면서 파트라슈는 넬로에게 남다른 재능이 있다는 걸 어렴풋이 느꼈다.

안트베르펜에서는 해마다 200프랑의 상금이 걸린 미술대회가 열렸다. 이 대회는 재능 있는 열여덟 살 미만의 청

원근법(遠近法) : 일정한 시점에서 본 물체와 공간을 눈으로 보는 것과 같이 멀고 가까움을 느낄 수 있도록 평면 위에 표현하는 방법.
명암(明暗) : 회화에서 색의 짙음과 옅음이나 밝기의 정도를 이르는 말.

소년이면 누구나 출품할 수 있었고 석필이나 연필 어느 것으로 그려도 상관이 없었다. 루벤스의 예술혼이 살아 숨쉬는 도시에서 가장 뛰어난 화가 세 명이 심사하여 우수 작품을 가렸다.

봄과 여름, 그리고 가을 내내 넬로는 그림에 공을 들였다. 만약 넬로의 그림이 뽑힌다면, 넬로는 꿈에 그리던 예술의 세계에 첫발을 내딛게 될 것이었다. 넬로는 예술에 대해 아무것도 몰랐지만 그림을 향한 열정만은 그 누구도 따를 수 없을 만큼 뜨거웠다.

넬로는 미술 대회에 출품하기 위해 그림을 그린다는 이야기를 아무에게도 하지 않았다.

"할아버지께는 말씀드리지 않는 게 좋겠어. 괜히 걱정하실지도 모르니까."

알루아라면 넬로의 마음을 알아줬겠지만 알루아는 곁에 없었다. 넬로는 파트라슈에게 모든 것을 털어놓았다.

"파트라슈, 이 그림을 완성해서 미술 대회에 낼 거야. 어쩌면 루벤스 님이 내게 상을 주실지도 몰라. 내가 그림을 출품한 것을 아신다면 말이야. 천국에서 계시니까 틀림없이 아실 수 있겠지?"

파트라슈도 틀림없이 그럴 것이라고 생각했다.

"12월 1일까지는 그림을 내야 하니까 앞으로 더 열심히 그려야겠어. 발표는 크리스마스이브에 한단다. 1등으로 뽑히면 정말 행복한 크리스마스가 될 거야. 그렇지, 파트라슈?"

살을 에는 듯 추운 겨울날, 마침내 넬로는 그림을 완성했다. 넬로는 희망으로 고동치는 가슴을 안고 그림을 초록색 우유 수레에 실었다. 희망과 두려움의 감정이 엇갈려 현기증이 날 정도였다.

파트라슈와 함께 안트베르펜으로 간 넬로는 출품 장소인 공회당에 그림을 제출했다. 다른 아이들이 내는 그림을 곁눈질로 흘깃 본 넬로의 얼굴이 달아올랐다. 모두 그림물감으로 그린 그림들은 화려했다. 석필로 그린 자신의 그림이 한없이 초라해 보였다.

휘이잉
파트라슈, 추워도 좀 참아.
소중한 물건을 실었잖아!
덜컹
덜컹
넬로의 그림이 꼭
뽑혔으면 좋겠다.

'괜한 짓을 한 건 아닐까? 내 주제에 뭘 어쩌겠다고 그림을 그려 출품했는지 모르겠어. 난 그림 공부도 제대로 하지 못한 가난뱅인데……. 훌륭한 예술가들이 내 그림을 보면 분명히 비웃을 거야!'

넬로는 스스로가 너무나도 주제넘고 어리석게 느껴졌다. 하지만 대성당 앞을 지날 때는 다시 용기를 얻을 수 있었다. 자욱한 안개 사이로 루벤스의 상냥한 목소리가 들려오는 것 같았다.

"넬로, 용기를 잃지 마렴! 안트베르펜 사람들이 나를 우러러보기까지 나도 괴롭고 슬픈 일을 참 많이 겪었단다. 훌륭한 화가가 되려면 그 모든 걸 참고 견뎌 내야 한단다."

'그래! 난 최선을 다했어. 결과는 하느님께서 뜻하신 대로 이루어질 거야.'

숨을 깊게 한 번 들이마신 넬로는 차가운 밤공기를 가르며 오두막을 향해 달렸다.

6장
끝없는 슬픔 속으로

그해 겨울은 어느 해보다 추위가 일찍 찾아왔다. 넬로와 파트라슈가 그림을 내고 오두막에 도착한 뒤부터 내리기 시작한 눈은 여러 날 동안 이어졌다. 펑펑 쏟아진 눈은 온 세상을 하얗게 뒤덮었다. 사정없이 휘몰아치는 차가운 바람에 시냇물도 꽁꽁 얼어붙었다.

추운 날씨 탓에 넬로와 파트라슈의 하루는 무척이나 힘이 들었다. 동이 트기도 전에 일어나 이 집 저 집 다니며 우유를 배달하느라 눈보라가 몰아치는 새벽길을 걷노라면 무척이나 힘이 들었다.

파트라슈에게는 더욱 그랬다. 지난 몇 년 사이 넬로는

씩씩한 소년으로 자랐지만 그만큼 파트라슈는 늙어 있었다. 때때로 참을 수 없는 고통이 찾아왔지만 파트라슈는 참고 견디며 묵묵히 수레를 끌었다. 한결같은 인내심으로 굵고 단단한 목을 앞으로 숙인 채 있는 힘을 다해 눈보라를 헤치며 앞으로 나아갔다.

"파트라슈, 넌 집에서 쉬어. 진짜로 그러는 게 좋겠어. 나 혼자서도 얼마든지 할 수 있다니까."

아침마다 넬로는 파트라슈에게 말했다. 하지만 파트라슈는 넬로의 말을 따르려 하지 않았다.

"제발 부탁이야, 파트라슈. 넌 쉬어야 해."

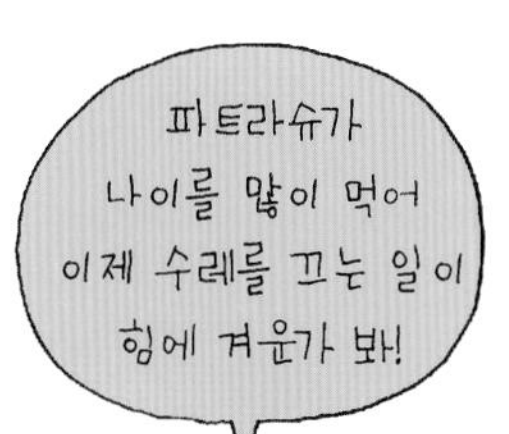

넬로의 간절한 부탁에도 파트라슈는 새벽이면 수레 앞에 섰다.

"가엾은 녀석……. 영원히 누워 지낼 날도 얼마 남지 않았구나. 너하고 나 말이다."

할아버지는 비쩍 마른 손을 뻗어 파트라슈의 머리를 쓰다듬으며 말했다.

'파트라슈와 내가 떠나면 가여운 넬로는

누가 돌봐 줄까?'

나이 들어 늙은
예한 다스 할아버지와
파트라슈가 세상을 떠나면
넬로는 슬픔을 견뎌 낼 수
없을 거야.

이런 생각이 들 때면 할아버지의 얼굴은 한없이 어두워졌다.

어느 날 오후, 여느 때와 다름없이 넬로와 파트라슈는 안트베르펜으로 우유 배달을 다녀오는 길이었다. 눈 덮인 플랜더스의 들판은 대리석처럼 딱딱하고 미끄러웠다. 둘은 조심조심 발걸음을 옮기며 얼음 위를 걸었다.

갑자기 파트라슈가 우뚝 멈춰 섰다.

"파트라슈! 왜 그러니? 발이라도 다친 거야?"

넬로가 깜짝 놀라 파트라슈에게 다가갔다. 파트라슈 앞에는 인형이 하나 떨어져 있었다. 탬버린을 치고 있는 작고 귀여운 꼭두각시 인형이었다.

"인형이잖아! 새것 같아."

길바닥에 버려져 있었는데도 인형은 흠이 전혀 없는 새것처럼 보였다.

"어쩌지? 이런 날씨에 주인에게 찾아 주기는 힘들 것 같은데……. 파트라슈, 우리 이 인형 알루아한테 줄까? 알루아가 좋아할 것 같지 않니?"

넬로가 풍차 방앗간에 도착했을 때는 짧은 겨울 해가 저물고 한참이 지나서였다. 주위에는 칠흑 같은 어둠이 깔려 있었다.

'오랫동안 친하게 지냈으니 작은 인형 하나 주는 것쯤은 괜찮을 거야.'

그러나 알루아의 부모님과 마주치고 싶지는 않았다. 넬로는 알루아의 방에 나 있는 작은 창문을 떠올렸다. 그 창문 밑에 있는 창고 지붕을 밟고 올라가면 알루아의 부모님과 마주치지 않고도 인형을 건네줄 수 있을 것 같았다.

넬로는 창고 지붕 위로 기어 올라가서는 창문을 톡톡 두드렸다. 알루아는 반갑고 놀란 표정으로 창밖을 내다보았다.

"넬로!"

넬로는 인형을 알루아에게 내밀었다.

"눈 속에서 주운 인형인데, 네게 주고 싶어서 가져왔어. 잘 지내. 안녕!"

넬로는 알루아가 고맙다는 말을 하기도 전에 창고의 지붕을 미끄러져 내려왔다.

그런데 바로 그날 밤, 좋지 않은 일이 일어나고 말았다. 풍차 방앗간에 불이 난 것이었다. 곳간과 방앗간에 있던 밀은 다 타 버렸지만 다행히 풍차와 사람들은 무사했다. 불이 나자 마을 사람들은 불을 끄기 위해 달려왔다. 코제 씨는 방앗간을 보험에 들어 두어 손해 볼 것이 없었지만, 그래도 크게 화를 냈다.

"불이 난 건 결코 우연이 아니야. 어떤 몹쓸 녀석이 일부러 한 짓이라고! 나쁜 녀석, 잡히기만 해 봐라!"

넬로도 '불이야!' 하는 소리에 놀라 잠에서 깼다. 그러고는 다른 사람들과 함께 불 끄는 것을 도우러 갔다.

넬로를 본 코제 씨는 벌컥 화를 내며 넬로의 멱살을 잡고 흔들었다.

"분명히 네 놈이 우리 집 주위를 어슬렁거렸어! 불이

넬로, 인형은
어디서 난 거야?
네가 좋아할
것 같아서 주려고
가져 왔어.

난 이유는 네가 가장 잘 알고 있겠지? 그렇지?"

코제 씨는 넬로를 거칠게 몰아붙이며 다그쳤다.

넬로는 뜻밖의 말에 아무 대꾸도 하지 못했다.

그 다음 날 코제 씨는 불을 낸 사람이 넬로라고 마을 사람들 앞에서 말도 안 되는 억지를 피웠다. 코제 씨가 억지를 부리는 것이 분명했지만 아무도 선뜻 나서지는 못했다. 더구나 넬로가 어두운 밤에 방앗간에 간 것은 사실이었다.

"알루아와 사귀는 것을 코제 씨가 막았다는군요."

"둘을 만나지 못하게 하려고 알루아를 집에만 있게 했대요."

"돈 많은 코제 씨의 외동딸이니까 욕심이 났겠지요."

"그래서 코제 씨한테 앙심을 품었을까요?"

사람들이 수군대기 시작했다.

아무도 드러내 놓고 넬로를 비난하지 않았지만, 넬로를 대하는 사람들의 태도는 점점 달라졌다. 물론 코제 씨의 말을 그대로 믿는 사람은 아무도 없었다. 그저 모두 가난하고 무지無知했기 때문에 벌어진 일이었다. 동네에서 가장 부자이자 유일한 부자가 넬로를 범인으로 지목한 이상 따르지 않을 수 없었던 것이다. 마음이 착하고 여린 넬로는 사람들의 차가운 태도에 어찌할 바를 몰랐다.

"여보, 넬로한테 너무하잖아요. 착하고 성실한 아이예요. 그런 나쁜 짓은 꿈도 꾸지 못할 아이라고요."

알루아의 어머니가 말했지만 코제 씨는 고집이 센 사람이었다. 일단 말을 하면 무슨 일이든 끝까지 밀어붙이고, 생각을 바꾸지 않았다. 마음속 깊은 곳에서는 자신이 옳지 못한 일을 저지르고 있다는 것을 잘 알고 있었다.

넬로가 누명을 썼으니 너무 슬프고 억울하겠다.

넬로는 누구도 원망하지 않고 꿋꿋하게 참아냈다. 파트라슈와 단둘이 있을 때에만 아픈 마음을 조금 드러냈다.

"파트라슈, 난 정말 억울해. 그날 밤 우린

무지(無知) : 아는 것이 없음.

그저 알루아에게 인형을 주러 갔을 뿐인데……. 왜 사람들은 내 말을 믿어 주지 않는 걸까?"

넬로는 이런 생각을 하며 스스로를 위로할 뿐이었다.

'내가 그린 그림이 상을 받는다면 아마 다들 나한테 미안해할 거야.'

그래, 넬로!
희망을 잃지 말고
꿋꿋하게 이 시련을
견뎌 내야 해.

하지만 넬로는 아직 열여섯 살도 채 되지 않은 어린 소년일 뿐이었다. 이제껏 살아오며 언제나 사랑 받고 칭찬 받던 넬로에게 마을 사람들의 차가운 태도는 호된 시련이었다.

이제 마을 사람 어느 누구도 넬로와 파트라슈를 다정한 눈길로 바라보지 않았다. 늙고 병들어 몸도 제대로 가누지 못한 채 오두막에 누워 있는 할아버지만이 둘의 전부였다. 오두막 난로의 불꽃은 자주 사그라졌고, 끼니를 거르는 날이 더 많아졌다.

게다가 우유 배달 일마저 떨어졌다. 안트베르펜에서 오

는 젊고 튼튼한 남자가 노새가 끄는 마차를 타고 집집마다 돌며 우유를 거둬 갔기 때문이다. 넬로에게 우유 배달을 맡기는 집은 겨우 서너 집뿐이었다.

덕분에 파트라슈가 끄는 수레는 가벼워졌지만, 넬로의 주머니에 들어오는 동전은 얼마 되지 않았다.

파트라슈는 늘 하던 대로 낯익은 대문마다 멈춰 섰다.

"컹컹!"

파트라슈가 반갑게 짖으며 방울을 짤랑거렸지만 문은 열리지 않았다. 그럴 때마다 파트라슈는 안타까운 눈으로 굳게 닫힌 문을 한참이나 바라봤다. 빈 수레를 끌고 터덜터덜 돌아가는 파트라슈의 뒷모습을 지켜보는 사람들의 마음도 편치는 않았다. 하지만 코제 씨의 비위를 맞추려면 어쩔 수 없는 일이었다.

크리스마스가 코앞으로 다가왔다. 날씨는 여전히 혹독하게 추웠다. 온 세상이 꽁꽁 언 것 같았다.

크리스마스 무렵이면 마을은 항상 활기차고 정이 넘쳤다. 아무리 가난한 집이라 해도 우유에 설탕과 술, 그리고 향료를 넣어 만든 음료와 케이크가 있었다. 설탕 가루를 하얀 눈처럼 뒤집어쓴 성자와 그리스도 상의 과자도 만들었다.

마을 사람들은 들뜬 마음으로 서로 이야기를 주고받으며 흥겹게 춤을 추었다. 플랜더스의 말들도 방울을 짤랑대며 장을 보러 다녔다. 집 안 화덕 솥단지에는 먹음직스런 수프가 모락모락 김을 내며 끓고, 마을 처녀들은 고운 머릿수건을 쓰고 깔깔대며 성당에 미사를 드리러 오갔다.

오직 넬로의 오두막만은 여전히 어둡고 추웠지만 세 식구가 있었기에 서로 의지하며 위안慰安을 얻을 수 있었다. 할아버지는 언제나 넬로와 파트라슈를 따스한 눈길로 바라보았다. 그런데 그런 할아버지마저 넬로와 파트라슈의 곁을 떠나고 말았다.

크리스마스를 얼마 남기지 않은 어느 날 밤, 평생 가난과 고통 속에서 산 할아버지에게 죽음이 찾아왔다.

위안(慰安) : 위로하여 마음을 편하게 함. 또는 그렇게 하여 주는 대상.

넬로와 파트라슈는 동이 틀 무렵에야 할아버지가 돌아가셨다는 것을 알았다. 할아버지는 병세가 나빠지고부터는 오두막 안에 틀어박혀 거의 죽은 사람처럼 지냈다. 넬로와 파트라슈에게 다정한 말을 건네는 것 외에는 그 어떤 것도 할 기운이 없었다. 넬로와 파트라슈에게 할아버지는 커다란 기둥과도 같았다. 할아버지는 넬로와 파트라슈를 정말 사랑했다. 둘이 집으로 돌아올 때면 언제나 따뜻한 미소로 맞아 주었다. 그런 할아버지의 죽음은 넬로와 파트라슈에게는 몸서리치도록 견디기 힘든 일이었다.

흰 눈이 내리던 어느 겨울날, 예한 다스 할아버지가 누워 있는 관은 회색 성당 옆 묘지로 향했다. 할아버지의 관을 따라가면서 넬로와 파트라슈는 하염없이 흐느꼈다. 세상의 그 무엇도 둘의 슬픔을 위로해 주지 못했다. 넬로와 파트라슈 말고는 할아버지의 장례 행렬을 따르는 이도 없었다. 어린 소년과 늙은 개가 전부였다.

넬로가
너무 가여워요!
가엾기는 하지만
알루아를 위해서는
어쩔 수 없어!
으흠…
할아버지, 파트라슈와
저는 이제 누구를 의지하고
살아야 하죠?
날 아끼고 사랑해
주시던 할아버지께서
돌아가셨어. 참 좋은
분이셨는데…….
흑흑

마을 사람들도 참 인정머리 없군. 어린 소년 혼자 장례를 치르게 하다니, 쯧쯧!
덜컹
덜컹

장례 행렬을 내다본 알루아의 어머니는 눈시울을 붉혔다. 코제 씨는 무표정한 표정으로 바라보고 있었다. 알루아의 어머니는 코제 씨의 눈치를 살폈다.

'저렇게 가여운 모습을 보았으니 이제 마음이 좀 누그러졌겠지.'

그러나 코제 씨는 장례 행렬이라고 부르기조차 초라한 모습을 지켜보면서도 끝내 문을 열지 않았다. 그러고는 흔들리는 마음을 다잡으려는 듯 더 차갑게 말했다.

코제 씨는
인정이라고는
눈곱만큼도 없는
냉정한 사람이로군.

"이제 정말 의지할 데 하나 없는 거지가 되었군. 알루아 곁에 얼씬도 못하게 잘 감시해!"

코제 씨의 완강頑强한 태도에 알루아의 어머니는 어떤 말도 꺼낼 수가 없었다.

할아버지의 무덤에 차가운 흙이 덮이고

완강(頑强) : 태도가 모질고 의지가 굳셈.

넬로와 파트라슈는 힘없이 오두막으로 돌아갔다. 알루아의 어머니는 그제야 조용히 딸을 불렀다. 손에는 국화로 만든 화환이 들려 있었다.

"알루아, 얘야……."

알루아의 어머니는 말없이 화환을 내밀었다. 알루아는 눈물을 흘리며 살짝 고개를 끄덕였다. 그러고는 흰 눈이 소복이 쌓인 무덤에 화환을 놓아두고 왔다.

오두막으로 돌아온 넬로는 넋을 잃고 멍하니 앉아 있었다. 이제는 더 이상 흘릴 눈물도 남아 있지 않았다. 오두막은 어느 때보다 더 썰렁했다. 오두막의 집세가 한 달이나 밀려 있었지만 넬로는 갖고 있는 돈을 모두 장례식에 썼다. 넬로에게는 동전 한 푼 남아 있지 않았다.

"부탁 드릴게요. 조금만 기다려 주시면 금방 갚을 수 있어요. 제발 조금만 시간을 주세요."

넬로는 집주인을 찾아가 사정했다. 집주인은 일요일 밤마다 코제 씨와 함께 포도주를 마시며 담배를 피우는 구두장이였다. 이 구두장이는 몹시 차갑고 인색한 사람이었다. 돈이라면 사족을 못 쓰는 사람으로 동정이라는 걸 몰랐다. 그런 구두장이가 넬로의 사정을 봐줄 리가 없었다.

"당장 내일 아침까지 집을 비워라! 지금 내쫓지 않는 걸 다행으로 여겨야 할 거다."

넬로는 눈앞이 캄캄했다. 이제 넬로에게는 오두막도 없었다. 비록 초라한 오두막이었지만 넬로와 파트라슈에게는 아늑한 보금자리였다. 또한 세 식구의 추억이 가득한 곳이었다. 언제나 궁핍한 살림이었지만 그래도 둘은 행복했다. 오두막으로 달려가면 항상 미소로 반겨 주는 할아버지가 있었으니까.

차갑게 얼어붙은 화덕 옆에서 넬로와 파트라슈는 밤새도록 껴안고 있었다. 둘은 서로의 온기를 느끼며 슬픔을 삼켰다. 춥고 절망스러운 밤이었다.

7장

부서진 꿈

새하얀 눈이 뒤덮인 대지 위로 크리스마스이브의 아침이 밝았다. 넬로는 이제 이 세상에 하나밖에 남지 않은 친구를 꽉 끌어안았다. 뜨거운 눈물이 넬로의 볼을 타고 파트라슈의 이마 위로 하염없이 뚝뚝 떨어졌다.

"파트라슈, 가자. 나의 사랑하는 친구 파트라슈……. 쫓겨날 때까지 기다리지 말고 스스로 나가자."

파트라슈는 넬로의 마음을 이해한 듯 넬로를 따랐다. 집을 나서는 둘의 모습은 가련하고 애처로웠다. 넬로와 파트라슈는 집 안의 모든 것을 뒤로하고 떠나야 했다.

초록색 작은 수레 앞에서 파트라슈가 멈춰 섰다.

"파트라슈, 수레는 가져갈 수 없어. 이제는 우리 것이 아니란다."

그렇게 말할 수밖에 없는 넬로의 가슴은 미어졌다. 파트라슈는 한동안 슬픈 눈으로 수레를 바라보았다.

넬로와 파트라슈는 천천히 오두막을 나섰다. 둘은 안트베르펜으로 이어진 낯익은 길을 따라 걸어갔다. 이른 새벽이라 거리는 조용했다. 대부분 덧문이 닫혀 있었지만 몇 집에서는 인기척이 났다. 그렇지만 그 누구도 소년과 늙은 개가 보금자리를 떠나온 것을 알아채지 못했다.

넬로는 어느 집 문 앞에서 걸음을 멈추었다. 할아버지가 살아 계셨을 때 여러 번 인심을 베풀어 주던 집이었다.

젊은 여자가 내다보자 안타까운 눈빛으로 파트라슈를 바라보던 넬로는 한참을 머뭇거리다 어렵게 말을 꺼냈다.

"저기…… 혹시 파트라슈에게 빵 부스러기라도 좀 주실 수 있을까요? 파트라슈가 어제 아침부터 아무것도 못 먹어서요……."

"올 겨울엔 밀가루 값이 비싸서……."

파트라슈에게 먹일 빵 부스러기라도 좀 얻을 수 없을까요?
글쎄다. 올 겨울엔 밀가루 값이 워낙 비싸서…….
넬로, 난 괜찮아. 참을 수 있어.
꼬르륵

여자는 말끝을 흐리며 서둘러 문을 닫아 버렸다.

넬로는 얼굴을 붉히며 돌아섰다. 날이 밝아 오면서 문을 연 집은 많아졌지만 넬로는 더 이상 누구에게도 구걸하지 않기로 마음먹었다.

10시를 알리는 종소리가 울려 퍼질 무렵 둘은 안트베르펜에 도착했다.

'팔아서 돈이 될 만한 것이라도 있었으면 파트라슈에게 먹을 것을 구해 줄 수 있을 텐데…….'

넬로가 가진 거라고는 입고 있는 낡은 옷과 신고 있는 나막신 한 켤레가 전부였다. 그런 넬로의 마음을 너무나도 잘 알고 있기에 파트라슈는 넬로의 손에 코를 비벼 댔다. 마치 넬로에게 너무 애쓰지 말라고 얘기하는 듯했다.

미술 대회의 결과 발표는 낮 12시였다. 넬로는 발표 장소인 공회당으로 발걸음을 재촉했다.

공회당은 입구부터 많은 사람들로 북적거렸다. 넬로 또래의 소년들도 있었고, 나이가 조금 더 많은 소년들도 있었다. 모두들 부모님 혹은 친구들과 함께 있었다. 넬로의 마음은 두려움으로 몹시 떨렸다.

댕! 댕! 댕!

안트베르펜 시내의 종들이 일제히 12시를 알렸다. 종소리가 공회당 안을 쩌렁쩌렁 울렸다. 그때 공회당 안쪽에 있는 넓은 강당 문이 열렸다. 대회 결과를 발표해 놓은 곳이었다. 사람들이 우르르 안쪽으로 몰려갔다. 뽑힌 그림은 단상 위에 전시되어 있었다.

넬로는 안개가 낀 듯 눈앞이 잘 보이지 않았다. 머릿속이 빙빙 돌고, 팔다리에 힘이 풀려 곧 쓰러질 것 같았다. 그러다가 사람들이 지르는 환호성에 정신이 들었다.

넬로의 그림이
뽑히지 않았어. 마지막
희망마저 사라졌으니
넬로의 실망이 이만저만이
아니겠는걸.

넬로는 높이 걸린 그림을 바라보았다.

'아……!'

그것은 자신의 그림이 아니었다. 느릿느릿하고 점잖은 목소리가 들려왔다.

"스테판 키슬리어!"

"우아아!"

입상자가 발표되자 한 무리의 사람들이 환호했다. 스테판 키슬리어의 일행인 듯했다.

"스테판 키슬리어라면 안트베르펜 부두 관리인의 아들 아니야?"

"그러게. 아버지가 부자이니 대단한 미술 선생을 붙이지 않았겠어?"

사람들의 대화가 희미하게 들려오는 것 같았다.

가까스로 정신을 차린 넬로는 자기가 눈이 쌓인 차가운 길바닥에 쓰러져 있다는 걸 알았다. 곁에는 파트라슈가 얼굴을 비비며 넬로의 정신을 차리게 하려고 애를 쓰고 있었다. 넬로는 비틀거리며 일어나 파트라슈를 꼭 끌어안았다.

"다 끝났어, 파트라슈!"

넬로가 울먹이며 나지막히 중얼거렸다.

"마지막 희망마저 사라져 버렸어!"

넬로는 굶주림과 절망으로 기운이 빠진 몸을 이끌고 마을로 향했다. 고개를 떨군 채 터덜터덜 걷는 파트라슈의 네 다리도 휘청거렸다.

멋진데~
1등이다!
짝
넬로, 힘내!
내가 옆에 있잖아.
끄응~
파트라슈, 이제
우리 어떻게 하지?

다시 눈이 쏟아지기 시작했다. 매섭게 몰아치는 눈보라에 한 치 앞도 보이지 않았다. 이러다가는 벌판에서 얼어 죽을 것만 같았다. 마을에 도착한 것은 6시가 지나서였다. 갑자기 파트라슈가 눈 속에 코를 파묻고 킁킁거렸다.

"갑자기 왜 그래, 파트라슈?"

파트라슈는 앞발로 얼어붙은 눈을 헤집더니 갈색 가죽 지갑을 입으로 물어 끄집어냈다. 그러고는 자기가 찾은 지갑을 넬로에게 내밀었다.

마침 근처에는 자그마한 그리스도 수난상이 있었다. 그리고 그 밑에는 등불 하나가 금방이라도 꺼질 듯 위태롭게 타고 있었다. 넬로는 지갑을 등불에 비춰 보았다. 지갑 안에는 지폐가 2000프랑이나 들어 있었다.

"세상에! 누가 이 많은 돈을 잃어버렸을까?"

넬로는 지갑을 등불 앞으로 가져가 다시 한 번 살폈다. 한 귀퉁이에 코제 씨의 이름이 새겨져 있었다.

"파트라슈, 이건 코제 씨의 지갑이야!"

넬로는 지갑을 셔츠 속에 찔러 넣고 길을 재촉했다.

"어서 가자."

넬로가 도착한 곳은 풍차 방앗간 집 앞이었다.

쾅쾅쾅!

넬로는 방앗간 집의 나무 문을 두드렸다. 문을 열고 나온 알루아의 어머니는 슬픈 표정을 하고 있었다. 옆에는 어머니의 치맛자락을 붙들고 선 알루아의 모습이 보였다.

깔보며 냉정하게 대하던 코제 씨의 지갑을 돌려주다니, 넬로는 참 바른 소년이야.

"넬로구나."

알루아의 어머니는 눈물을 글썽이며 다정한 목소리로 말했다.

"넬로! 따뜻한 우유라도 주고 싶지만, 오늘은 어서 돌아가는 게 좋겠구나. 알루아 아버지가 돌아오기 전에 말이야. 오늘 우리 집에 좋지 않은 일이 있었거든. 알루아 아버지가 집으로 돌아오는 길에 큰돈이 든 지갑을 잃어 버렸는데 지금 그걸 찾으러 나가셨단다. 하지만 이런 눈밭에서 무슨 수로 지갑을 찾을 수 있겠니. 그 돈이 없으면 우리 집은 망하고 만단다. 우리가 네게 저지른 짓을 보고 하늘에서 벌을 주신 모양이구나."

넬로는 조용히 주워 온 지갑을 내밀었다.

"맙소사! 넬로……."

알루아 어머니는 말을 잇지 못했다. 넬로는 파트라슈를 집 안으로 들여보내며 이렇게 말했다.

"파트라슈가 눈밭에서 찾은 거예요."

그리고 서둘러 말을 이었다.

"코제 나리께 말씀드려 주세요. 파트라슈에게 먹이와 잠자리를 주셨으면 한다고요. 나리께서도 불쌍한 늙은 개를 내치시지는 않겠지요? 그리고 파트라슈가 저를 따라오지 못하게 해 주세요. 우리 파트라슈를 잘 돌봐 주세요. 부탁 드려요."

넬로는 몸을 구부려 파트라슈에게 입을 맞추었다. 그러고는 서둘러 밖으로 나갔다.

"넬로야, 얘! 잠깐만 기다려."

알루아의 어머니가 황급히 불렀지만, 넬로는 이미 휘몰

넬로! 어디 가니?
잠깐만 기다려!
파트라슈, 넬로가
우리를 두고 가 버렸어.
넬로, 나 혼자 여기서
편안하게 지낼 수는 없어.

아치는 눈보라 속으로 사라져 버린 후였다.

알루아와 어머니는 아무 말도 못하고 그냥 서 있을 뿐이었다. 지갑을 찾아 안심安心이 되긴 했지만 넬로를 그렇게 보내 버린 것이 못내 마음에 걸렸다.

파트라슈는 마음이 찢어지는 듯 아팠다. 넬로를 쫓아가려고 발버둥을 쳤지만 굳게 닫힌 문은 꿈쩍도 하지 않았다. 두 사람은 파트라슈를 달래 보려고 애썼다. 달콤한 케이크와 과자 등 집에 있는 것 중에서 가장 좋은 음식을 가져와 파트라슈를 달래 보려 했다. 따뜻한 난롯가로 불러 보기도 했지만 소용이 없었다. 문만 바라보며 낑낑거릴 뿐이었다.

파트라슈는 혼자만 따뜻한 곳에서 편하게 지내고 싶은 마음이 조금도 없었다. 어떻게든 밖으로 나가려고 기회만 노리고 있었다.

코제 씨가 돌아온 것은 저녁 8시가 훌쩍 넘어서였다.

안심(安心) : 모든 걱정을 떨쳐 버리고 마음을 편히 가짐.

매서운 추위 속에서 지갑을 찾느라 녹초가 되어 돌아온 코제 씨는 절망감에 휩싸여 있었다.

"없어. 아무리 찾아도 없어. 다시는 찾을 수 없을 거야. 이제 우리는 망했어."

코제 씨의 얼굴은 백지장같이 창백했고, 괴로움에 찬 목소리는 떨리고 있었다.

"온 길바닥을 다 찾아 헤맸지만 없어. 이제 알루아에게 물려줄 돈도 한 푼 없다고!"

알루아의 어머니는 조용히 코제 씨에게 지갑을 건넸다.

"이, 이건……?"

"넬로가 가져왔어요. 파트라슈가 눈 속에서 찾았다고 하더군요."

"이 많은 돈이 든 걸 알고도 가져왔단 말이야? 넬로……, 그 아이가!"

너무 놀라 말을 제대로 잇지 못하던 코제 씨는 머리를 감싸 쥐었다.

코제 씨가
느끼는 게 많겠어.
이번 기회에 반성도
하겠지?

"내가 그동안 저한테 얼마나 지독하게 굴었는데…….
난 그 아이한테서 이런 도움을 받을 자격이 없는 인간이
야! 정말 부끄럽군."

코제 씨는 진심으로 괴로워했다.

알루아는 조심스레 다가가 아버지의 어깨에 살며시 머
리를 기댔다.

"아버지, 넬로는 다시 올 거예요. 파트라슈도 여기 있
으니까 분명히 다시 올 거라고요."

알루아의 말에 코제 씨는 고개를 들어 알루아를 바라보
았다. 그의 입술은 떨리고 있었다.

"암, 그렇고말고, 그렇고말고."

코제 씨는 정신 나간 사람처럼 중얼거렸다.

"넬로를 내일 크리스마스 모임에 초대해야겠다. 앞으
로는 그 아이가 원한다면 아무 날이나 오라고 할 거야.
오, 하느님! 제가 그 아이에게 진 죄를 씻을 수 있도록 도
와주소서."

"그럼 이제 파트라슈에게 맛있는 걸 줘도 되죠?"

내가 자기한테 그렇게
지독하게 굴었는데도 지갑을
돌려주다니…….
넬로는 그렇게
착한 아이인데 아버지께서
너무하셨어요.
넬로가 착한
아이라는 걸 이제라도
알게 돼 정말 다행이야.
빨리 가서 넬로를
찾아야 하는데…….
honey

알루아는 천진난만한 표정으로 소리쳤다. 코제 씨는 머리를 크게 끄덕였다.

"당연하지! 먹을 것을 듬뿍 주고 잘 보살펴 주려무나. 파트라슈가 몸이 많이 야위었구나."

고집불통이었던 코제 씨의 마음은 한없이 부드러워져 있었다.

크리스마스이브인 그날 방앗간 집은 따스하고 풍요豊饒로웠다. 땔감으로 쓸 참나무 장작이 가득했고 크림과 벌꿀, 고기와 빵이 넘쳐났다. 서까래에는 상록수로 만든 화환이 걸려 있었다.

알루아는 파트라슈가 편히 쉴 수 있도록 애를 썼다.

그러나 파트라슈는 따뜻한 곳에 눕지도 않았고, 조금도 즐거워하지 않았다. 하루 종일 굶주림과 추위에 떨었지만 넬로 없이는 아무것도 누리고 싶지 않았다.

알루아네 가족 모두가 달래 보았지만 소용이 없었다.

풍요(豊饒): 흠뻑 많아서 넉넉함.

파트라슈는 오로지 넬로에게 달려갈 방법만을 생각하고 있었다.

“그 아이를 그리워하는구나. 훌륭하고 충직한 개로구나! 날이 밝으면 곧장 넬로네 집으로 가 봐야겠다.”

코제 씨가 말했다.

파트라슈 말고는 아무도 넬로가 오두막에서 쫓겨났다는 것을 알지 못했다. 홀로 굶주림과 추위에 맞서며 마을을 떠나 버렸다는 것을 아무도 몰랐다.

8장

죽음에서 찾은 평화

풍차 방앗간 집은 따뜻하고 아늑했다. 잘 마른 장작이 탁탁 소리를 내며 활활 타오르고 있었다. 코제 씨는 크리스마스이브를 함께 즐기기 위해 초대한 이웃 사람들과 포도주를 마시며 구운 칠면조를 먹었다.

알루아는 내일이면 넬로가 온다는 생각에 들떠 콧노래를 불렀다. 이제 넬로를 만나고 싶으면 언제든 만날 수 있어 기쁨은 더욱 컸다.

코제 씨도 감격스러운 표정으로 딸에게 미소를 지어 보였다. 전 재산을 잃었던 생각을 하면 아직도 아찔했다. 코제 씨는 앞으로 넬로를 어떻게 도와줄 것인지를 즐겁게 이야기했다. 알루아의 어머니는 조용히 앉아 만족스러운 표정으로 남편을 바라보았다.

알루아의 집을 찾은 사람들은 파트라슈가 이 집의 귀한 손님으로 머물게 된 것을 모두들 환영했다. 그들은 식탁에 둘러앉아 왁자지껄 즐거운 시간을 보냈다. 김이 모락모락 나는 맛있는 음식이 있었고, 유쾌한 이야기가 넘치는 행복한 크리스마스이브 저녁이었다.

크리스마스이브에
넬로는 어디서 혼자
배고픔과 추위에 떨고
있을까?

그렇지만 파트라슈는 그 어떤 것도 관심이 없었다. 파트라슈는 여전히 밖으로 나갈 기회만 엿보고 있었다. 드디어 기회가 찾아왔다. 새로 온 손님이 문을 열어 둔 채 들어온 것이다. 파트라슈는 그 틈을 놓치지 않고 재빨리 밖으로 빠져나왔다.

"파트라슈! 돌아와!"

알루아가 재빨리 달려나와 소리쳤지만 파트라슈는 눈 깜짝할 사이에 어둠 속으로 사라져 버렸다.

파트라슈는 지친 네 다리로 죽을힘을 다해 눈밭을 가로 질러 달리기 시작했다. 칠흑 같은 어둠과 혹독한 추위 속에서 그렇게 달리고 또 달렸다. 오직 어딘가에서 홀로 추위에 떨고 있을 넬로를 찾아야 한다는 생각뿐이었다. 할아버지와 어린 넬로가 죽어 가던 자신을 구해 준 지난날을 떠올리며 힘겹게 앞으로 나아갔다.

눈은 밤새도록 내렸다. 어느덧 밤 10시가 다 되어 갔다. 쌓이는 눈 때문에 넬로의 발자국은 거의 지워지고 없었다. 때문에 넬로의 냄새를 찾기가 쉽지 않았다. 겨우 희미한 냄새를 찾아내도 금방 놓쳐 버리기 일쑤였다. 찾았다가 놓치고 놓쳤다가 되찾기를 수백 번도 더 되풀이했다.

그날 밤 날씨는 몹시 추웠다. 거리에는 살아 있는 것이라고는 아무것도 없는 듯했다. 가축들도 모두 우리 안으로 들어가 버렸고, 사람들은 집 안에 모여 즐거운 크리스마스를 맞이하고 있었다.

매서운 추위 속에서 떨고 있는 것은 오직 파트라슈뿐이었다. 늙고 굶주린 파트라슈는 몸을 가누기조차 힘이 들었지만 사랑하는 넬로를 찾아야 한다는 생각에 힘겹게 발을 옮겼다.

눈에 덮여 잘 보이지는 않았지만 넬로의 발자국은 분명 안트베르펜으로 이어져 있었다. 꼬불꼬불하고 적막한 시골길을 벗어나 파트라슈가 안트베르펜에 도착한 때는 밤 12시가 넘은 시간이었다.

도시는 온통 캄캄했다. 가끔 닫힌 덧문 틈으로 빛이 새어 나오거나 술에 취해 비틀거리며 집으로 가는 사람들이 눈에 띌 뿐이었다.

눈길 위에는 수많은 발자국이 남아 있었다. 넬로의 흔적을 놓치지 않고 따라가기는 매우 어려웠다. 더구나 이리저리 얽힌 도시의 골목 때문에 파트라슈는 몇 번이나 길을 잃었다. 매서운 추위가 뼛속까지 파고들고, 얼음 조각에 베인 발은 이미 감각이 없었다. 하지만 파트라슈는 포기하지 않았다.

파트라슈는 한순간도 멈추지 않고 계속해서 길을 걸었다. 금방이라도 쓰러질 듯 몸을 제대로 가누지 못하는 파트라슈의 모습은 무척이나 애처로웠다. 참고 또 참으며 먼 길을 걸어간 끝에 마침내 파트라슈는 사랑하는 넬로의 흔적을 찾아냈다. 넬로의 발자국은 안트베르펜 대성당으로 이어지고 있었다. 넬로는 그토록 보고 싶어 하던 것이 있는 곳으로 갔던 것이다.

다행히 성당 문이 열려 있었다. 자정 미사를 마친 뒤 미처 문을 잠그지 않은 듯했다. 어쩌면 크리스마스를 가족과 보내고 싶은 성당지기가 서둘러 집으로 돌아가려다가 실수를 한 것일지도 몰랐다.

덕분에 파트라슈는 차디찬 대리석 바닥에 하얀 눈 자국을 남기며 성당 안으로 들어갈 수 있었다. 파트라슈는 보기에 안쓰러울 정도로 떨고 있었다.

다행히 넬로의 냄새는 쉽게 맡을 수 있었다. 파트라슈

는 둥근 천장이 있는 널따란 방을 지나 신부님이 미사를 드리는 단상으로 향했다.

그곳에 넬로가 있었다. 넬로는 차가운 대리석 바닥에 쓰러진 채 움직이지 않았다. 파트라슈는 살그머니 다가가서 넬로의 얼굴을 핥았다.

'나를 버리고 가면 내가 편안하게 있을 거라고 생각했어? 그렇게 의리가 없을 거라고 생각한 거야?'

넬로의 얼굴을 핥으며 파트라슈는 마치 이렇게 말하는 것 같았다.

파트라슈의 숨결을 느낀 넬로가 낮은 신음 소리를 내며 몸을 일으켰다.

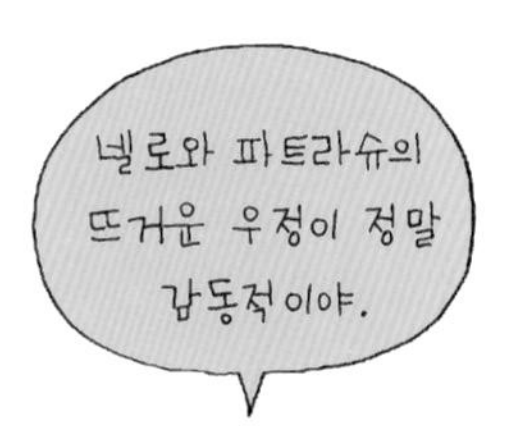

넬로와 파트라슈의
뜨거운 우정이 정말
감동적이야.

"파트라슈! 내가 여기 있는 줄 어떻게 알고 찾아왔어? 따듯한 알루아네 집에 있지 여긴 뭐하러 온 거야?"

파트라슈를 꼭 끌어안은 넬로의 눈에서 굵은 눈물방울이 떨어져 내렸다.

파트라슈는 다시는 헤어지지 말자는 듯 넬

로의 가슴에 머리를 파묻었다. 파트라슈는 따뜻하고 맛있는 음식이 가득한 알루아네 집보다 넬로 옆에 있는 것이 더 행복했다.

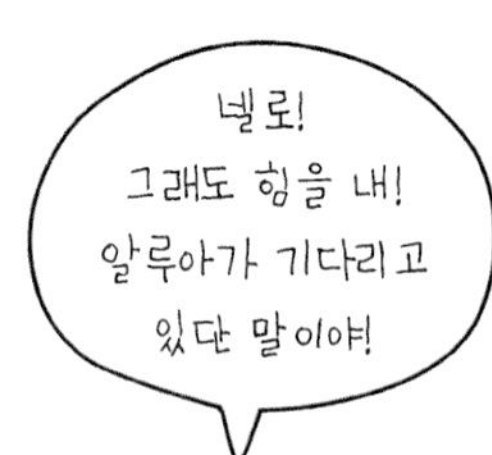

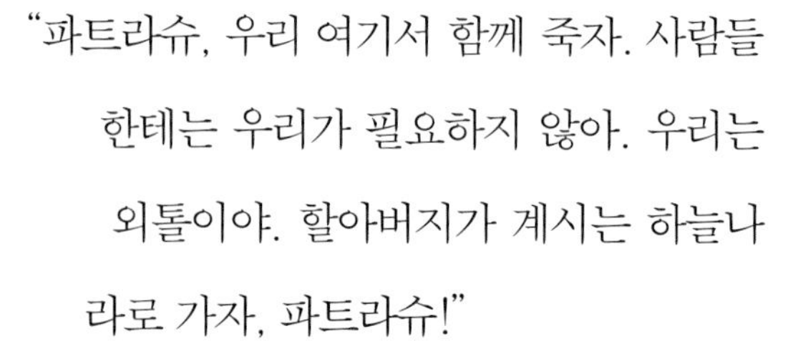

"파트라슈, 우리 여기서 함께 죽자. 사람들한테는 우리가 필요하지 않아. 우리는 외톨이야. 할아버지가 계시는 하늘나라로 가자, 파트라슈!"

목이 메는 듯 넬로의 목소리가 심하게 떨렸다.

파트라슈의 커다란 갈색 눈에도 눈물이 가득 맺혔다. 넬로와 파트라슈는 서로 꼭 끌어안았다. 저 멀리 북쪽에서 불어온 찬바람은 모든 것을 얼어붙게 했다. 둥근 천장의 석조 건물 안은 눈 덮인 들판에 앉아 있는 것보다 더 매서운 한기寒氣가 감돌았다.

한기(寒氣) : 추운 기운.

루벤스의 그림 아래 쓰러진 넬로와 파트라슈는 힘들었지만 행복했던 지난날의 꿈을 꾸었다. 풀밭과 들꽃 사이를 뛰어다니거나 햇살 속에서 바다로 향하는 배의 모습을 지켜보던 그때를 꿈꿨다.

그때 갑자기 어둠 속에서 눈부신 광채가 흘러 들어왔다. 보름달이 구름 사이로 모습을 나타낸 것이었다. 눈은 이미 그쳤고, 새하얀 눈에 반사된 달빛은 새벽녘의 햇살만큼이나 밝았다.

둥근 천장을 통해 들어온 빛은 루벤스의 그림을 환하게 비추었다. 그림을 가리고 있던 커튼은 넬로가 이미 걷어치웠기 때문에 루벤스의 그림이 한눈에 들어왔다.

〈십자가로 올려지는 그리스도〉와 〈십자가에서 내려지는 그리스도〉가 넬로의 눈에 들어왔다. 그림은 찬란한 빛을 발하고 있었다. 넬로는 벌떡 일어서서 그림을 향해 두 팔을 벌렸다. 뜨거운 기쁨의 눈물이 넬로의 볼을 타고 흘러내렸다.

"드디어 보았어. 난 이제 바랄 것이 없어. 오, 하느님!

정말 감사합니다."

마침내 그림을 본 것이다. 그토록 원하던 그림을 본 넬로는 다리에 힘이 풀렸는지 비틀거리다 털썩 주저앉았다. 하지만 눈길만은 여전히 오랫동안 동경憧憬해 왔던 걸작을 향해 있었다.

비록 짧은 순간이었지만, 달빛은 신성하고 아름다운 그림을 환하게 비췄다. 마치 넬로의 간절한 바람을 이뤄 주려는 듯했다. 그때 신비로운 기운을 뿜어내던 빛이 사라져 버렸다. 달빛이 구름 속으로 숨어 버린 것이었다. 성당은 다시 적막한 어둠에 휩싸였다.

크리스마스의 아침이 밝았다. 성당에 들어온 신부들은 소년과 개가 차디찬 돌바닥 위에 누워 있는 것을 보았다. 차갑게 식은 둘의 머리 위로 루벤스의 위대한 그림이 아침 햇살에 찬란하게 빛나고 있었다.

동경(憧憬) : 어떤 것을 간절히 그리워하며 그것만을 생각함.

파트라슈, 저길 봐!
내가 그토록 보고 싶어 하던
그림이야. 이제 나는 죽어도
좋아. 흑흑!

얼마 뒤 고집스러운 얼굴의 한 남자가 찾아왔다. 남자는 어린아이처럼 훌쩍훌쩍 울었다. 알루아의 아버지 코제 씨였다.

"넬로, 천사처럼 착한 네게 내가 큰 죄를 지었다. 네게 용서를 빌고 싶었는데 너무 늦었구나."

이어 또 다른 남자가 찾아왔다. 그는 세상에 이름이 널리 알려진 그 지방 출신의 화가였다. 그리고 미술 대회의 심사를 맡은 세 명 가운데 한 명이었다.

"어제 그 상을 받았어야 마땅할 아이를 찾고 있었습니다. 그 아이는 그림에 보기 드문 재능을 가졌습니다. 황혼 무렵 나무 밑동에 앉아 있는 노인을 그린 게 전부였지만 그 그림에는 장차 큰 꽃을 피울 예술가의 영혼이 깃들어 있었습니다. 그 아이를 데려가서 그림을 가르칠 생각이었는데……."

이 말을 듣고 있던 금발 머리의 한 소녀가 흐느꼈다.

"넬로, 제발 눈을 떠 봐! 우리 집에 가서 크리스마스 같이 보내야지. 아버지께서 이제는 너와 놀아도 괜찮다고 하셨단 말이야. 얼른 우리 집에 가서 맛있는 것 먹으면서 파트라슈랑 함께 놀자. 파트라슈도 아주 좋아할 거야. 넬로, 제발 일어나 보란 말이야. 흑흑흑!"

넬로와 파트라슈는 더 이상 사람들에게 자비로운 마음을 구걸하지 않았다. 죽음은 충직하게 우정을 지켰던 한 마리의 개와 순진무구한 믿음을 지녔던 어린 소년을 이 세상에서 거두어 갔다.

둘은 서로 사랑하고 의지하고 살았을 때처럼 죽어서도 떨어지지 않겠다는 듯 넬로의 팔은 파트라슈를 꼭 끌어안고 있었다.

넬로와
파트라슈는 죽어서도
참다운 우정을 나누려는 듯
서로 꼭 끌어안고 하늘나라로
갔어, 흑흑!

둘의 안타까운 죽음 앞에서 마을 사람들은 자신들의 잘못을 뉘우쳤다. 그리고 둘을 함께 묻어 주었다. 넬로와 파트라슈에게 평온한 은총이 내리기를 기원하면서.

PART 3

깊어지는 논술

넬로와 파트라슈의
우정을 다시 한 번 되새겨 봐!

깊어지는 논술

작품 소개

플랜더스의 개 (A Dog of Flanders)

〈플랜더스의 개〉는 영국의 작가 위다가 1872년에 발표한 소설로 동물에 대한 깊은 애정과 예술에 대한 열정이 담긴 뛰어난 아동 문학 작품으로 평가 받고 있어요. 이 작품은 어린 시절 위다가 아버지에게 들은 플랜더스 지방의 구전 이야기에서 영감을 얻어 썼다고 해요. 그녀의 아버지가 벨기에의 플랜더스 지방을 여행하다 '플랜더스의 개'에 대한 이야기를 듣고 딸에게 들려준 것이지요.

〈플랜더스의 개〉는 가난한 소년 넬로와 늙은 개 파트라슈의 아름답고도 슬픈 우정을 그리고 있어요. 벨기에의 자연과 등장인물에 대한 섬세한 묘사, 짜임새 있는 이야기 전개 등으로 오늘날까지 독자들의 많은 사랑을 받고 있답니다.

▲ 〈플랜더스의 개〉는 벨기에 플랜더스 지방에 전해 내려오는 이야기를 바탕으로 쓴 작품이에요.

작가 소개

위다 (Ouida, 1839 ~1908)

위다의 본명은 '마리 루이스 드 라 라메'예요. '위다'는 그녀의 필명으로 어렸을 적 불렸던 이름에서 비롯되었답니다. 어려서부터 책 읽기를 무척이나 좋아했던 위다는 가난한 집안 살림을 돕기 위해 잡지 등에 글을 발표하기 시작해요. 스무 살이 되던 1860년 첫 번째 소설 〈포도밭 그랜빌〉이 월간지에 실리면서 소설가로 첫발을 내딛게 되지요.

위다는 그 후 상류 사회를 그린 연애 소설 등을 비롯해 많은 작품을 썼는데, 활발한 이야기체를 구사한 독창적인 작품으로 대중을 사로잡았지요. 1874년 이탈리아의 피렌체로 건너간 그녀는 창작에 전념했으며, 1908년 세상을 떠날 때까지 주로 농민과 동물, 어린이에 관한 밝고 화려한 작품을 남겼어요.

▲ 〈플랜더의 개〉는 나눔에 대해 생각해 보게 하지요.

어려운 이웃을 돌아볼 줄 아는 사람이 되길 바랄게요!

생각의 날개를 펼쳐요!

기적을 만드는 따뜻한 마음

〈플랜더스의 개〉를 읽고 난 소감이 어떤가요?

알루아의 생일 잔치에 초대 받지 못한 넬로가 차가운 밤바람을 맞으며 위대한 화가가 되겠다고 결심하는 모습은 가슴이 뭉클하지 않았나요? 늙고 지친 파트라슈가 거친 눈보라 속에서 넬로를 찾아 헤매는 모습에서는 눈시울이 뜨거워지지 않았나요?

서로를 꼭 껴안은 채 루벤스의 그림 앞에서 영원히 잠든 넬로와 파트라슈의 깊은 우정은 이 작품을 읽는 사람에게 큰 감동을 준답니다.

이 작품에서 가장 인상적인 것은 바로 예한 다스 할아버지와 넬로의 남을 배려하는 착한 심성입니다. 예한 다스 할아버지와 넬로는 포악한 주인에게 혹사당하다 버려져 죽어 가던 파트라슈를 집으로 데려와 정성껏 간호를 해 줍니다. 한편 파트라슈는 그 고마움을 잊지 않고 매일같이 넬로와 함께 우유 수레를 끄는 것으로 갚지요.

예한 다스 할아버지와 넬로는 가진 것 하나 없는 처지였지만 마음만은 누구보다 풍족했어요. 동물을 사랑할 줄 알았고, 감사할 줄 알았으며, 누구를 원망하거나 미워하지 않았지요.

아주 어릴 때부터 가혹한 노동에 시달리다 포악한 술주정뱅이 주인에게 버려져 생명이 꺼져 가던 파트라슈를 구한 것은 예한 다스 할아버지와 넬로였어요.

할아버지는 전쟁에서 큰 부상을 당해 몸이 불편한 가난하고 힘없는 노인이었고, 넬로는 아직 어린 소년이었지요. 끼니를 걱정할 정도로 가난해 죽어 가는 개를 거둘 형편이 아니었지만 파트라슈를 외면하지 않았답니다.

할아버지와 넬로는 파트라슈를 사랑과 정성으로 돌보고, 파트라슈 역시 이런 두 사람에게 한결같은 충성심을 보여 주지요. 하지만 크리스마스 날 아침에 이들은 안타까운 죽음을 맞이하고 맙니다.

모두가 즐거워하는 크리스마스 날 아침에 차가운 성당 바닥에서 죽어 간 넬로와 파트라슈의 모습에서 혹시 안데르센의 동화 〈성냥팔이 소녀〉를 떠올린 친구들이 있지는 않나요?

성냥팔이 소녀 역시 흰 눈이 내린 차가운 거리에서 쓸쓸하게 얼어 죽고 말아요. 거리는 온통 새해를 맞는 흥겨움으로 가득했지만 어느 누구 하나 성냥팔이 소녀에게 관심을 갖거나 도움을 주지 않았지요.

만약 성냥을 한 개비씩 그으며 의식을 잃어 가는 성냥팔이 소녀 앞에 누군가 나타나 도움을 줬다면 어땠을까요?

만약 집주인에게 쫓겨나 갈 곳을 잃은 넬로와 파트라슈에게 누군가 잠시 머물 곳을 마련해 주었다면 어땠을까요?

마을에서 제일 부자인 풍차 방앗간 집의 코제 씨마저 넬로가 돈 한 푼 없는 알거지라며 외동딸 알루아와 놀지 못하게 했지요. 그러나 코제 씨는 잃어버린 지갑을 넬로가 주워 되돌려 주었다는 사실을 알고는 넬로에게 지은 죄를 깨닫고 후회를 해요. 하지만 안타깝게도 그 시간 넬로는 차가운 성당의 대리석 바닥에서 추위와 굶주림에 시달리며 죽어 가고 있었어요.

〈플랜더스의 개〉는 파트라슈가 학대당하는 모습, 넬로가 가난 때문에 소외당하고 좌절하는 모습을 통해 안타까움과 분노, 슬픔을 느끼게 하는 한편 생명 존중, 가난한 사람에 대한 온정과 사랑, 우정과 꿈, 예술 등의 진정한 가치에 대해 진지하게 생각해 보고 고민하게 해 줍니다.

“어려운 이웃에게 관심을 갖는 건 여유가 있는 사람들이나 할 수 있는 일이야.”

어쩌면 이렇게 생각하는 친구들도 있을지 몰라요. 하지만 어려운 이웃에게 관심을 갖고, 도움을 주는 것은 부자들만 할 수 있는 일이 아니에요. 누구보다 가난했던 예한 다스 할아버지와 넬로가 파트라슈를 거둔 것처럼 말이에요.

작품의 내용을 한 번 더 되돌아보고, 지금 여러분의 도움을 필요로 하는 사람은 없는지 주변을 둘러보세요. 우리의 작은 관심은 때로 큰 기적을 만들어 내기도 해요. 따뜻한 마음으로 사랑을 베푸는 여러분이 되기를 바랄게요.

마을 사람들이 넬로와 파트라슈에게 온정을 베풀었다면 둘은 그렇게 슬픈 죽음을 맞지 않아도 되었을 텐데…….

성실하고 착하게 사는 사람들이 추위와 배고픔에 시달리다 죽음을 맞이하는 일이 없는 세상이 왔으면 좋겠어.

PART 4

논술 워크북

나눔에 대해 깊이
생각해 보면서 논술을 풀어 봐!

논술 워크북

논술 1단계 | 꼭 알고 넘어가요

1-1 넬로와 파트라슈는 처음에 어떻게 만났나요?

1-2 알루아의 아버지 코제 씨가 넬로에 대한 마음을 고쳐먹은 까닭은 무엇인가요?

HINT

본문을 잘 읽고 물음에 답하세요.

2 '가난은 불편한 일이지만, 죄는 아니다.' 라는 말이 있습니다. 이 말을 토대로 코제 씨의 넬로에 대한 태도를 비판해 보세요.

HINT

코제 씨는 넬로가 가난하다는 이유로 멸시하고, 풍차 방앗간에 불은 지른 범인으로 취급하기까지 했습니다.

3 우리 사회에는 넬로처럼 가난에 시달리는 어린이들이 많이 있습니다. 이러한 어린이들이 가난에 굴하지 않고 자신의 재능과 꿈을 펼칠 수 있도록 하기 위해서는 어떠한 일들이 필요할까요?

HINT

여러분이 할 수 있는 일들과 사회적으로 마련되어야 할 일들을 두루 생각해 보세요.

4 넬로는 어린 나이부터 생활을 위해서 일을 하기 시작했습니다. 세계에는 지금도 넬로보다 더 안타까운 상황 속에서 일곱 살, 여덟 살의 어린 나이부터 가혹한 노동에 시달리는 어린이들이 많습니다. 여러분은 어린이 노동에 대하여 어떻게 생각하나요? 여러분의 생각을 주장과 근거로 이루어진 논증의 형태로 적어 보세요.

HINT

나의 주장을 뒷받침할 수 있는 적절한 근거로 어떤 것이 있는지 생각해 보세요.

5 다음은 어니스트 시턴의 〈시턴 동물기〉에 나오는 이야기를 간추린 것입니다.

한 사냥꾼이 현상금이 걸린 늑대를 사냥했다. 그 늑대는 여덟 마리의 새끼를 거느리고 있었다. 사냥꾼은 새끼 일곱 마리는 죽이고, 마지막 한 마리는 마을에 있는 술집에 팔았다. 늑대는 술집에 있는 쇠사슬에 묶여서 지내게 되었다. 술에 취한 손님들의 구경거리나 되면서.

술에 취한 사람들은 개들을 여러 마리 풀어서 한꺼번에 늑대를 물어뜯게 하면서 웃음을 터뜨리곤 했다. 늑대는 점점 더 사나워져 갔으며, 술집에 드나드는 누구도 따르지 않았다.

그러나 늑대는 술집의 어린 아들 지미에게만은 부드러운 눈길을 던지며 다정하게 작은 손을 핥곤 했다. 자신도 천덕꾸러기 취급을 받곤 했지만, 지미는 남몰래 늑대에게 먹을 것을 챙겨 주고 상처를 가슴 아파해 주었다. 늑대와 지미는 서로 마음을 나눌 수 있는 유일한 친구였다.

지미가 갑작스레 병으로 죽은 뒤에, 늑대는 쇠사슬을 끊고 탈출했다. 그러나 늑대는 자유를 찾아서 숲으로 돌아가지 않았다. 마을에서 가축들이 없어지고 개가 잔인하게 죽음을 당하는 일이 자주 일어나자 무시무시한 늑대가 마을을 돌아다닌다는 소문이 돌았다. 그러나 어린아이들만은 늑대에게 해침을 당하는 일도, 위협을 받는 일도 없었다. 어떤 사람들은 그 늑대가 친구인 지미를 기억하고 있기 때문에 어린아이들을 해치지 않는다고 했다.

신기하게도 늑대는 마을을 떠나지 않고 계속 맴돌았다. 특히 지미의 무덤 근처에서 늑대를 자주 볼 수 있었다. 사람들은 밤에 구슬프게 울부짖는 그 늑대의 울음소리를 들을 수 있었다. 그 소리는 마치 이제는 볼 수 없는 지미를 그리워하는 듯했다.

마을 사람들은 사냥꾼을 고용하여 늑대를 사냥했다. 늑대는 지미의 곁으로 갈 수 있었을까. 마을 사람들은 늑대가 죽은 뒤에도 크리스마스가 되면 지미의 무덤 곁에서 늑대의 울음소리가 들린다고 전했다.

윗글과 〈플랜더스의 개〉를 참고로 하여, '인간과 동물의 교감' 이라는 주제로 논술을 써 보세요.

HINT

윗글과 〈플랜더스의 개〉에는 모두 인간과 동물이 교감을 나누는 모습이 그려져 있습니다.

6 다 쓴 글을 친구나 부모님 앞에서 발표해 보세요. 그리고 듣는 사람이 고개를 끄덕이는지 아니면 고개를 갸우뚱하는지 반응도 살펴보세요. 발표가 끝난 후 평가도 부탁해 보세요.

가이드북

GUIDE BOOK

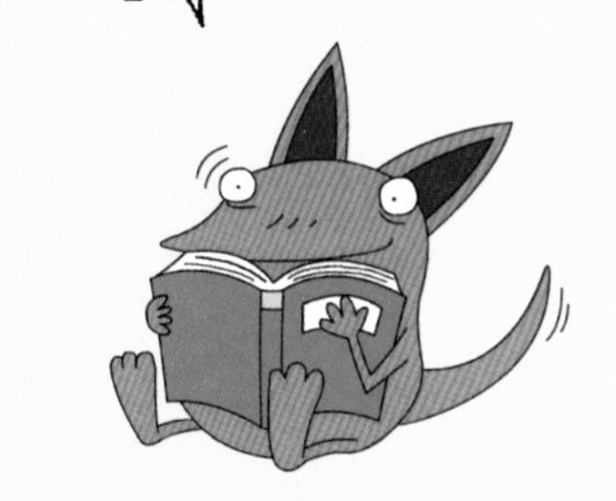
논술을 잘하려면
내용을 정확하게
파악하는 게 중요해!

작품의 전체 줄거리

어린 소년 넬로와 커다란 개 파트라슈, 예한 다스 할아버지는 가난하지만 서로를 아끼고 사랑하며 정답게 살아갑니다. 넬로와 파트라슈는 할아버지를 대신해 우유 배달을 하며 생계를 꾸립니다. 넬로가 사는 곳은 위대한 화가 루벤스의 예술혼이 어린 곳으로 마을 성당에는 루벤스의 그림이 전시되어 있습니다. 넬로는 자신도 루벤스처럼 위대한 화가가 되겠다는 꿈을 꿉니다. 마을 유지인 코제 씨는 넬로가 가난하다는 이유로 딸 알루아와 가까이 지내지 못하게 합니다. 추운 겨울날, 할아버지가 돌아가시고 넬로는 오두막에서도 쫓겨납니다. 희망을 걸었던 미술 대회 수상자도 다른 사람으로 정해진 것을 알고, 넬로는 깊이 절망합니다. 눈길을 헤매던 넬로가 큰돈이 든 코제 씨의 지갑을 주워 돌려주자 코제 씨는 잘못을 뉘우치고 넬로에게 잘 대해 줄 것을 결심합니다. 그러나 다음 날 아침, 넬로와 파트라슈는 루벤스의 그림 아래서 싸늘하게 식은 채 발견됩니다.

〈플랜더스의 개〉의 의미

영국의 작가 위다가 1872년에 발표한 아동 소설로 벨기에 안트베르펜 근교의 플랜더스를 배경으로 하고 있습니다. 이 작품은 소년 넬로와 애견 파트라슈의 애틋한 우정과 사랑, 비극적 운명을 그리고 있습니다. 처절한 가난에 시달리면서도 사랑에 가득 찬 예한 다스 할아버지와 화가를 꿈꾸는 소년 넬로, 충직한 파트라슈의 관계가 가슴 뭉클하게 다가오며, 끝내 비극적 운명을 맞이하는 넬로와 파트라슈의 모습은 독자에게 잊기 힘든 슬픔과 감동의 울림을 선사합니다. 〈플랜더스의 개〉는 오늘날에도 많은 사랑을 받고 있으며, 작품의 무대가 된 벨기에 안트베르펜의 성모 마리아 대성당 옆에는 넬로와 파트라슈의 동상이 세워져 루벤스의 그림과 함께 예술과 동화를 사랑하는 이들이 찾는 명소가 되고 있습니다.

1-1 사고 영역 _ 사실적 이해

본문을 잘 읽었는지 확인하는 문제입니다.

파트라슈는 지독한 주인을 만나서 혹사당하고 있었습니다. 난폭한 주인 밑에서 파트라슈는 학대당하면서도 묵묵히 일하다가 마침내 쓰러지고 말았습니다. 이때 풀숲에 버려진 채 죽어 가던 파트라슈를 넬로와 할아버지가 발견하여 오두막으로 데려와 정성껏 돌봐 주면서 둘의 만남이 이루어진 것입니다.

1-2 사고 영역 _ 사실적 이해

본문을 잘 읽었는지 확인하는 문제입니다.

넬로가 코제 씨의 전 재산이 들어 있는 지갑을 주워 돌려주면서 코제 씨는 마음이 누그러지고 자신의 행동을 반성하게 되었습니다. 가난하기 짝이 없는 넬로가 큰돈을 주웠으면서도 지갑을 주인에게 돌려준 것, 게다가 가난하다는 이유로 멸시하던 자신에게 지갑을 돌려주었다는 점에 놀라면서 넬로가 얼마나 바르고 착한 아이인지를 깨닫게 된 것입니다.

CHECKPOINT

본문을 잘 읽었는지 확인합니다.

2 사고 영역 _ 비판적 사고

주어진 명제를 토대로 등장인물의 행동을 분석하고 비판해 보면서, 분석력과 비판적 사고력을 기릅니다.

코제 씨는 넬로를 가난하다는 이유로 무척 싫어했습니다. 그는 외동딸 알루아가 넬로와 친하게 지내는 것을 못마땅하게 여기고 넬로를 야멸차게 대했습니다. 넬로의 인격과 재능을 무시하고, 허황된 꿈이나 꾸는 게으름뱅이라고 욕했습니다. 심지어 불을 지른 범인으로 몰아붙이기까지 했습니다. 코제 씨가 넬로를 이렇게 부당하게 대한 까닭은 딸에 대한 무조건적인 사랑으로 분별력을 잃은 때문이기도 하지만, 가난에 대한 편견 때문이기도 합니다. 코제 씨는 가난한 사람과는 친구나 가족이 될 수 없다고 생각했습니다. 그래서 그는 자신의 잘못된 생각을 어렴풋이 깨닫고 있으면서도 넬로를 무시하고 비난했습니다.

그러나 가난은 분명히 불편을 초래하고 사람을 지치고 힘들게 만들기는 하지만 죄도 아니고 심각한 인간적 결함도 아닙니다. 가난을 이유로 그 사람의 인격을 경멸하거나 무시하고 다른 사람들과 차별하는 것은 잘못된 행동입니다. 코제 씨의 넬로에 대한 부당한 태도는 가난을 죄로 여기는 그릇된 인식에서 나온 것이므로 비판 받아 마땅합니다.

CHECKPOINT

코제 씨가 가난을 단지 불편으로 인식하지 않고, 도덕심이나 인격 등과 연관 지어 큰 결함으로 취급했다는 것을 파악할 수 있어야 합니다.

3 사고 영역 _ 창의적 사고

작품과 관련된 다양한 문제에 대하여 생각해 보면서, 문제 해결력과 창의력을 기릅니다.

〈플랜더스의 개〉의 주인공 넬로처럼 우리 사회에는 가난한 어린이들이 아주 많습니다. 때로는 가난 때문에 꿈을 포기해야만 하거나 재능을 발휘할 기회를 얻지 못하는 경우도 많습니다. 이러한 어린이들이 많다는 것은 사회가 건강하지 못하다는 증거입니다.

그래서 우리는 가난한 어린이들이 꿈과 희망을 포기하지 않고 건전하게 자랄 수 있도록 노력해야 할 의무를 갖고 있습니다. 우선 이웃들은 가난한 이들에게 관심을 갖고 나눔의 자세를 가져야 합니다. 작품에서 넬로가 이웃의 도움으로 우유 배달을 하면서 행복해했던 것처럼, 작은 관심이 큰 힘이 될 수 있습니다. 또한 더 나아가서 사회가 이들을 돕는 장치와 제도를 마련해야 합니다. 약자를 위한 기초 생활 지원금, 어린이 지원 제도 등을 강화하고 무상 교육, 무상 의료, 무상 급식 등 사회 전반의 복지를 강화하는 것도 어린이를 포함한 가난한 이들에게 도움이 되겠지요. 여러분 자신이 할 수 있는 일도 있습니다. 여러분 자신부터 가난한 친구에게 편견을 갖지 않는 것, 가난을 부끄러운 것으로 여기지 않고 차별하지 않는 태도를 갖는 것이 그러한 일입니다.

CHECKPOINT

문제 해결 과정에서 〈플랜더스의 개〉라는 작품에 대한 관심이 사회적 약자에 대한 진지한 관심으로 이어질 수 있도록 해 주세요.

4 사고 영역 _ 논리적 사고

자신의 생각을 논증의 형태로 만들어 보면서, 주장을 효과적으로 구성하는 논술의 기초를 배우게 됩니다.

어린이 노동은 자라나는 어린이의 성장에 대한 배려 없이 어린이가 갖는 당연한 권리인 교육 받을 권리, 의식주를 제공 받을 권리 등을 침해한다는 점에서 반드시 근절되어야 할 것입니다. 그러나 현실적으로 가난 때문에 생존마저 위협 받는 어린이들에게 이러한 권리는 무시되기 일쑤입니다. 더구나 일부 어른들이 어린이들의 노동력을 헐값에 착취하고 이용하는 일도 흔히 일어나고 있습니다. 여러분은 여러분과 비슷한 나이의 어린이들이 노동을 하는 것에 대하여 어떻게 생각하나요? 여러분의 생각을 다음과 같이 논증의 형태로 적어 보세요.

- **주장** : 어린이 노동은 반드시 근절되어야 한다.
- **주장에 대한 까닭** : 어린이들은 건전한 교육을 받고, 성장할 권리를 갖고 있는데 주로 착취의 형태로 일어나는 어린이 노동은 이러한 권리를 침해하기 때문이다. 어린이는 나라의 미래인데, 어린이를 배려하지 않는 사회에는 미래가 없다.

CHECKPOINT

'어린이 노동력 착취' 의 문제는 근절되어야 할 것으로 사회적 합의가 이루어져 있다고 할 수 있습니다. 때문에 어린이 노동력 착취의 비도덕성을 주장하는 것이 바람직합니다. 이때 자신의 주장을 뒷받침하는 근거를 얼마나 논리적으로 제시해 줄 수 있는가가 평가의 중요한 기준이 됩니다.

5 사고 영역 _ 논리적 사고

제시문이 나타내는 바를 정확하게 파악하여, 논술의 주제와 연관시킬 수 있어야 합니다.

제시문은 〈시턴 동물기〉 가운데 늑대와 소년의 우정을 다룬 이야기를 간추린 것입니다. 사람들에게 잡혀 비참하게 살던 늑대는 자신을 친구로 대해 주었던 소년을 끝내 잊지 못했습니다. 늑대는 자유를 택해 먼 곳으로 떠나지 않고, 마을에 남아서 소년을 그리워하는 것을 택했지요. 이 이야기는 인간과 동물의 교감이 사람과 사람 사이의 교감보다 더 끈끈할 수 있다는 것을 가슴 뭉클하게 보여 주고 있습니다.

〈플랜더스의 개〉에도 동물과 인간이 우정과 교감을 나누는 모습이 나옵니다. 넬로와 파트라슈가 바로 그렇습니다. 소년과 개는 가난하고 힘든 상황 속에서도 서로 힘이 되어 주고 의지하며 살아갑니다. 인간과 동물 모두가 서로의 존재로 인해 행복을 느끼고 죽음까지 함께합니다.

두 이야기가 보여 주는 인간과 동물 사이의 교감은 무척이나 아름답고 감동적입니다. 인간과 인간 사이의 교감보다 더욱 순수하고 강하게까지 느껴지지요. 두 이야기에서 그려진 현실이 폭력적이고 부조리하기 때문에 인간과 동물의 순수한 교감이 더욱 아름답고 가치 있게 느껴집니다.

CHECKPOINT

제시문과 〈플랜더스의 개〉가 매우 유사하게 인간과 동물의 교감을 이야기하고 있다는 것을 파악해야 합니다.

다음은 논술 5단계 문제에 대한 예시 글입니다. 지도에 참고하시기 바랍니다.

동물과의 교감은 인간이 매우 오래 전부터 경험할 수 있었던 일입니다. 집에서 길들인 애완동물 혹은 야생 동물과 인간이 교감한 일은 개인이 크고 작게 흔히 경험할 수 있는 일이며 이러한 것을 다룬 이야기들도 아주 많습니다. 그런데 이런 이야기들은 언제나 사람들에게 특별한 감동을 줍니다. 동물과 교감을 나누는 이야기가 오히려 사람 사이에서 일어나는 일보다 더 순수하게 느껴질 때도 많기 때문입니다.

제시된 〈시턴 동물기〉와 〈플랜더스의 개〉 역시 사람과 동물 사이의 우정과 교감을 보여 주면서 매우 특별한 감동을 전해 주는 이야기입니다. 두 이야기에서 사람과 동물은 서로를 위로하고 힘이 되어 주는 관계입니다. 그들의 교감은 아주 강력해서 죽음마저 뛰어넘습니다.

이러한 우정이 가능한 까닭은 동물과 사람 사이의 감정의 교류에는 조건이 없기 때문입니다. 사람들 사이의 교류는 때로 외모, 학벌, 부와 가난 등의 조건 등에 따라서 달라지기도 합니다. 그러나 동물이 주는 우정은 충실하고 아무런 조건이 없는 우정입니다. 그것은 사람 사이에서 좀처럼 갖기 힘든 100퍼센트의 신뢰를 느끼게 하지요.

복잡하고 폭력으로 어지러운 사회 속에서 사람들은 본연의 심성을 잃고 방황하기도 합니다. 이럴 때 동물이 주는 무한한 신뢰는 사람들의 가슴을 따뜻하게 해 주지요. 오늘날 애완동물을 기르는 사람들이 점점 많아지는 까닭은 동물과의 교감이 주는 위로가 소중하기 때문일 것입니다.

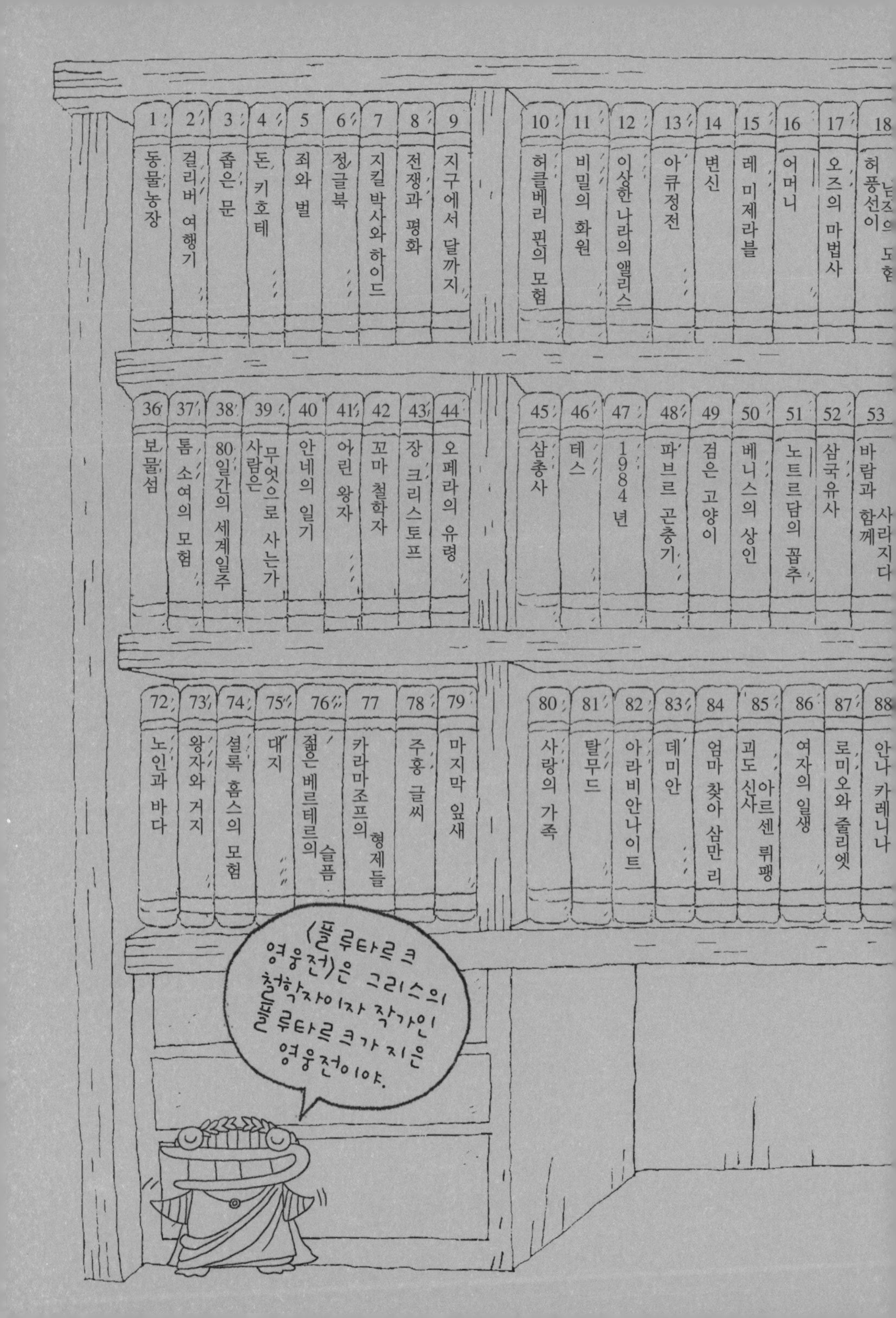

1 동물농장
2 걸리버 여행기
3 좁은 문
4 돈 키호테
5 죄와 벌
6 정글북
7 지킬 박사와 하이드
8 전쟁과 평화
9 지구에서 달까지
10 허클베리 핀의 모험
11 비밀의 화원
12 이상한 나라의 앨리스
13 아큐정전
14 변신
15 레 미제라블
16 어머니
17 오즈의 마법사
18 허풍선이
36 보물섬
37 톰 소여의 모험
38 80일간의 세계일주
39 사람은 무엇으로 사는가
40 안네의 일기
41 어린 왕자
42 꼬마 철학자
43 장 크리스토프
44 오페라의 유령
45 삼총사
46 테스
47 1984년
48 파브르 곤충기
49 검은 고양이
50 베니스의 상인
51 노트르담의 꼽추
52 삼국유사
53 바람과 함께 사라지다
72 노인과 바다
73 왕자와 거지
74 셜록 홈스의 모험
75 대지
76 젊은 베르테르의 슬픔
77 카라마조프의 형제들
78 주홍 글씨
79 마지막 잎새
80 사랑의 가족
81 탈무드
82 아라비안나이트
83 데미안
84 엄마 찾아 삼만 리
85 괴도 신사 아르센 뤼팽
86 여자의 일생
87 로미오와 줄리엣
88 안나 카레니나
〈플루타르크 영웅전〉은 그리스의 철학자이자 작가인 플루타르크가 지은 영웅전이야.

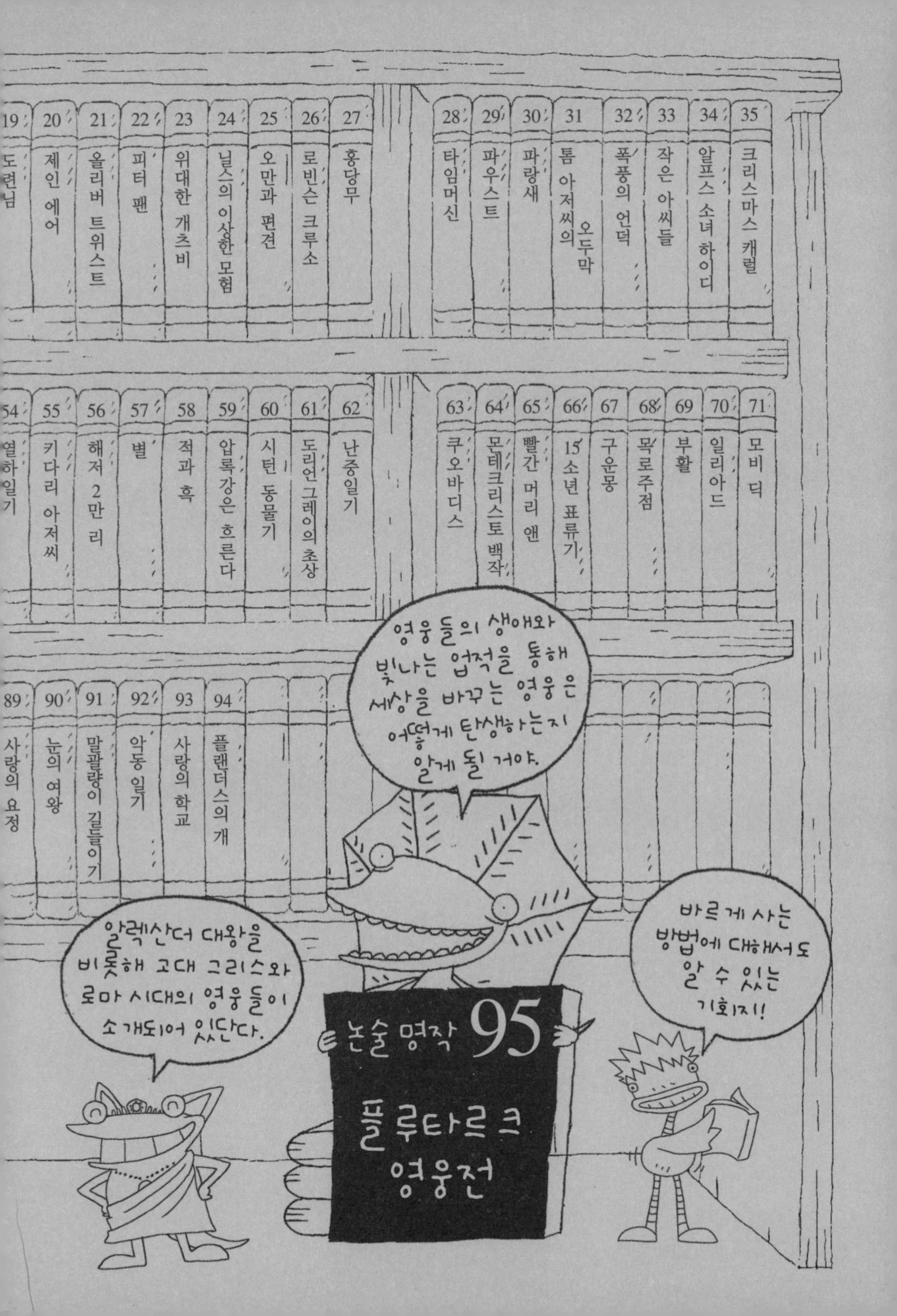
19 도련님
20 제인 에어
21 올리버 트위스트
22 피터 팬
23 위대한 개츠비
24 닐스의 이상한 모험
25 오만과 편견
26 로빈슨 크루소
27 홍당무
28 타임머신
29 파우스트
30 파랑새
31 톰 아저씨의 오두막
32 폭풍의 언덕
33 작은 아씨들
34 알프스 소녀 하이디
35 크리스마스 캐럴
54 열하일기
55 키다리 아저씨
56 해저 2만 리
57 별
58 적과 흑
59 압록강은 흐른다
60 시턴 동물기
61 도리언 그레이의 초상
62 난중일기
63 쿠오바디스
64 몬테크리스토 백작
65 빨간 머리 앤
66 15소년 표류기
67 구운몽
68 목로주점
69 부활
70 일리아드
71 모비 딕
89 사랑의 요정
90 눈의 여왕
91 말괄량이 길들이기
92 악동 일기
93 사랑의 학교
94 플랜더스의 개
영웅들의 생애와 빛나는 업적을 통해 세상을 바꾸는 영웅은 어떻게 탄생하는지 알게 될 거야.
알렉산더 대왕을 비롯해 고대 그리스와 로마 시대의 영웅들이 소개되어 있단다.
바르게 사는 방법에 대해서도 알 수 있는 기회지!
논술 명작 95
플루타르크 영웅전